DE AUTO

TOEN EN NU

DE AUTO

TOEN EN NU

REBO
PRODUCTIONS

DANKBETUIGING

Terwijl het schrijven van een boek als dit voor de auteur het uitkomen van een lang
gekoesterde droom mag zijn, zit er voor veel betrokkenen veel werk aan vast. De
auteur bedankt de volgende mensen: Jordan Rhodes, Kimberley Morris en Ted
Cornell, die mij hielpen bij het onderzoek; Chris Tomasino, die de redactie van het
Engels voor haar rekening nam; en Ianto Roberts, Peter Lawrence, Madelyn Larsen
en Sol Skolnick.

De uitgevers willen The National Motor Museum van Beaulieu, met name Phillip
Scott, bedanken voor de hulp die dit boek mogelijk maakte.

Foto's: pag. 2/3, 13 (6), 33 (8), 37 (6), 44 (1), 45 (3, 6), 61 (5), 65 (4), 92-95,
99, 151 (6): Ron Kimball
pag. 45 (8), 46 (3), 85 (6), 118-119, 161 (3): Jeffrey R. Zwart
overige: The National Motor Museum, Beaulieu, Hampshire, Engeland

Oorspronkelijke titel: The car, past & present
© 1989 The Image Bank, Engeland
© 1990 Nederland: Rebo Productions, Lisse
Vertaling: Frans Kales
Redactie en produktie: TextCase, Groningen
Zetwerk: Letter & Lijn, Groningen
Gedrukt en gebonden: Cronion, S.A. Barcelona, Spanje

ISBN 90 366 0442.7

DEP .LEG. B-9.482-90

Het was mijn vader die de schakel vormde tussen de familie Montagu en het autorijden, de schakel die zo veel voor mij en Beaulieu is gaan betekenen. In feite werd The National Motor Museum opgericht als eerbetoon aan deze man, die zelf al in 1898 begon met autorijden en dus een van de eerste automobilisten van Groot-Brittannië was. Als parlementslid was hij tevens de eerste wegbereider voor de belangen van de automobilist.

Toen ik in 1952 het Palace House en haar tuinen opende voor het publiek, stelde ik een paar van de eerste voertuigen tentoon in de voorste zaal van het huis en dit bescheiden uitgangspunt moest uitgroeien tot een volwaardig museum. Dit gebeurde niet van de ene dag op de andere. Nog meer voertuigen en onderdelen werden toegevoegd en opgesteld in de verschillende delen van het Palace House. Rond 1958 werd het duidelijk dat het noodzakelijk was om de geëxposeerde stukken opnieuw onder te brengen in een speciaal voor dat doel ontworpen gebouw op het landgoed, aangezien het Palace House langzaamaan in bezit genomen werd door auto's en men er de vettige olielucht van een garage begon te ruiken.

In 1959 verhuisde de collectie naar het nieuwe onderkomen op het landgoed, maar zelfs dat bleek niet groot genoeg te zijn en in het midden van de jaren zestig werd er een lange-termijnplan opgesteld. Dit was bedoeld om de accommodatie van het museum te vergroten, de voorzieningen voor de toeristen te verbeteren en er toch voor te zorgen dat het nieuwe ontwerp zou harmoniëren met het landschap en de eeuwenoude gebouwen van Beaulieu. De hulp van vooraanstaande architecten werd ingeroepen en zij kregen de opdracht om het nieuwe museum, het restaurant en de parkeerterreinen zodanig aan het omliggende landschap aan te passen, dat ze van buitenaf praktisch onzichtbaar zouden zijn. Tegelijkertijd werd er een stichting in het leven geroepen die eigenaar werd van de collectie. In 1972 werd de tentoonstelling heropend, maar nu als The National Motor Museum.

Ik ben in staat geweest om in The National Motor Museum vele van de befaamde old-timers van de afgelopen honderd jaar bijeen te brengen, inclusief verscheidene auto's waar ikzelf van droomde. Het is natuurlijk moeilijk om de omschrijving van het begrip droomauto exact te definiëren en ik kan me indenken dat niet iedere lezer van dit boek mijn persoonlijke voorkeur deelt. Er zijn waarschijnlijk bijna net zoveel droomauto's als er dromers zijn.

Sommigen geven er de voorkeur aan zich te richten op wat de Amerikanen noemen 'muscle cars', voertuigen met een schaamteloze passie voor snelheid en kracht. Zulke dromen bestaan uit lage, slanke carrosserieën, ronkende motoren en een vol, schor gegrom. Maar wie droomt van topsnelheden, is voorbestemd om nooit tevreden te zijn. Elke nieuwe Ferrari of Aston Martin verwijst zijn voorganger naar de vergetelheid van voorbije dromen. Op het moment dat hun vermogen en snelheid worden overtroffen, verliezen de snelle auto's veel van hun bekoring en betekenis.

Anderen dromen van elegante en luxeuze auto's. We spreken dan over de fameuze merken Rolls-Royce, Cadillac en Bugatti. Deze auto's bieden alles wat men zich maar kan wensen op het gebied van overvloed en weelderig comfort. De stijlvolle, chique uitgevoerde stoelen zijn omgeven door voertuigen waarin een tochtje zo soepel en sereen verloopt, dat u denkt dat u in een auto zit die zich op luchtkussens voortbeweegt in plaats van op wielen en schokbrekers. Misschien vormen de befaamde old-timers wel de klassieke voorbeelden van auto's die met hun perfecte motoren technische hoogstandjes paren aan dat ondefinieerbare sprankje genie, wat sommige enthousiastelingen een in het oog springende eigenschap noemen. Het is deze opvallende eigenschap die de geweldige auto's van onze eeuw heeft voortgebracht. Het zijn auto's die er op de een of andere manier in geslaagd zijn om de degelijke verdiensten van de techniek te combineren met de gratie en schoonheid die normaal alleen geassocieerd worden met die van kunstwerken.

Het zal altijd onmogelijk blijven om alle droomauto's uit het verleden op te sommen die onderwerp van gesprek zijn wanneer de liefhebbers bijeenkomen, maar sommige steken met kop en schouders, of met grille en kofferbak, boven de rest uit - de fantastische Bentley Blower, de 4,5 liter Supercharged Bentley, d.w.z. met aanjager, of de 540K Mercedes Benz, of de Bugatti, model 37, bijvoorbeeld; zij vertegenwoordigen alles wat een toonaangevende auto voor veel mensen moet hebben. De Rolls-Royce Silver Ghost belichaamt de smaak en elegantie van de eerste luxe auto's, terwijl de Europese gratie van voor de Eerste Wereldoorlog is gevangen in de lijnen van de Hispano-Suizas. Auto's van recentere datum gelden ook als klassiekers. Befaamde auto's zoals Lamborghini's en Jaguars kunnen zich meten met de beste auto's die ooit gebouwd zijn. Minder opvallende sportwagens zijn door de jaren heen in grote aantallen geproduceerd en hebben degenen met een bescheidener beurs in staat gesteld hun dromen te beleven in een MG, Triumph of Fiat.

Hoe de droom er ook uitziet, er is altijd een passende auto die hem vervult. En al vanaf het moment, meer dan een eeuw geleden, dat het eerste rijtuig zonder paard door de straten wegratelde, zijn auto's het onderwerp van vele dromen gebleven.

Montagu of Beaulieu

VOOR DE START

Een nadere beschouwing van de geschiedenis van de archeologie levert ons geen bewijzen voor het bestaan van zichzelf voortstuwende prehistorische voertuigen op. Geen slagschepen op vier wielen van het type Cro-Magnon. Geen fossielen van leuke, gekke auto's. Maar zoals iedereen met een beetje voorstellingsvermogen kan inzien, waren de pogingen van de prehistorische mens om het vuur te beteugelen en de uitvinding van het wiel niets meer of minder dan een eerste vroege poging om een stoomautomobiel te bouwen.

DE EIGENLIJKE START

Al sinds 500 jaar voor Christus kenden de Chinezen stoom als aandrijfkracht. Naast wind zou stoom de voornaamste krachtbron zijn tot diep in de 18e eeuw. Het eerste succesvolle, door stoom aangedreven voertuig werd in 1770 gebouwd door een mecanicien uit het Franse leger, genaamd Nicolas Cugnot. Naar de prestatie kunnen we alleen raden, wat we wel weten is hoe het apparaat er uitziet. Het staat namelijk al meer dan tweehonderd jaar tentoongesteld in de Conservatoire National des Arts et Métiers in Parijs. Ook in de Britse koloniën van Amerika streefde men ernaar stoomkracht te gaan gebruiken. Oliver Evans, een jonge boer uit Delaware, ontwierp in 1772 een voertuig dat de 'elastische kracht van stoom' zou omzetten in 'pure beweging'. Aangezien zijn werk werd onderbroken door de Amerikaanse Revolutie, was hij tot 1787 niet in staat patent te verkrijgen op zijn ontwerp. Financiële moeilijkheden zouden Evans verhinderen het stoomrijtuig te bouwen dat, naar hij voorspelde, 'het snelste paard eruit zou lopen'. Dit doel werd uiteindelijk bereikt door anderen, maar dat zou nog bijna 100 jaar duren.

Rond de eeuwwisseling begon Richard Trevithick, een mijningenieur uit Cornwall, te werken aan de ontwikkeling van een stoomaangedreven rijtuig, waarmee hij in 1803 een geslaagde rit door Londen maakte. Maar waar Amerika misschien een achterstand had in de eigenlijke produktie van succesvolle stoomvoertuigen, lag het op ten minste een ander belangrijk gebied voor. In 1792 begonnen de eerste tolwegen geld op te leveren voor de staten Pennsylvania en Connecticut. Het stoomrijtuig vond uiteindelijk erkenning in het midden van de 18e eeuw. De verschijning van bureaucratische regelingen bevestigde de groeiende betekenis van het stoomrijtuig. Een voorbeeld daarvan is de Britse 'Red Flag Act' uit 1863. Hierin werd bepaald dat voor alle 'weg-locomotieven' een man moest lopen die, wapperend met een rode vlag, de onoplettende bevolking moest waarschuwen. Deze 'vlaggezwaaiers', die bekend stonden als Naderiten (naar Ralph Nadar, een advocaat die zich inzette voor de veiligheid van mensen die moesten werken met machines), bestaan tot op de dag van vandaag, ijverend voor een veilige wereld. Bekend waren ook de Ludditen (technici die in het begin van de 19e eeuw in het midden en noorden van Engeland kruistochten ondernamen tegen machines). Tegen het einde van de eeuw werd het gebruik van stoom als aandrijfkracht meer en meer beperkt tot locomotieven. Door stoom aangedreven automobielen waren moeilijk te starten en het onderhoud zorgde voor veel hoofdbrekens die na verloop van tijd gemakkelijk opgelost hadden kunnen worden. Maar de komst van de benzine-verbrandingsmotoren luidde het einde in van de stoommotor. Het is interessant te vermelden dat de mislukking van de door stoom of elektriciteit aangedreven motor niet te wijten was aan gebrekkige prestaties. Tussen 1898 en 1906 vestigde elk type een aantal officiële World Land Speed Records en het hoogtepunt vormde een race waarin een snelheid van 220 km per uur door een Stanley Steamer bereikt werd op Daytona Beach in Florida op 23 januari 1906.

Een aantal overgebleven stoomauto's zou tot in de 20e eeuw blijven bestaan met excentrieke genieën zoals de Stanley-tweeling, Rollin White en Abner Doble als voorvechters. Hoewel de stoommotor geliefd was bij voorstanders, kon deze net als zijn stille tegenhanger, de elektrische motor, niet langer concurreren met de benzinemotor. Waar kwamen ze vandaan, die lawaaierige, stinkende voertuigen die voortbewogen werden door...

HELSE VERBRANDING

Wie precies de uitvinder van de benzine-auto is, zal altijd een onderwerp van discussie blijven, met veel mensen uit vele landen die de eer willen opeisen. Maar als we willen weten wie nu eigenlijk als eerste zo'n machine bouwde, met succes testte en daarna op de markt bracht, dan is er maar één antwoord: Carl Benz. Hij voltooide zijn eerste driewieler in 1885 en begon in 1880 met de verkoop. Een andere Westduitse technicus, Gottlieb Daimler, voltooide in 1886 het eerste gemotoriseerde rijtuig op vier wielen. Aangedreven door een 1-cylinder motor van 1,1 pk konden snelheden worden gehaald van rond de 18 km per uur.

Als we spreken van 'rijtuigen zonder paard', bedoelen we niets meer dan dat: rijtuigen, ontworpen om getrokken te worden door een span paarden, aangepast en voorzien van een motor als krachtbron en een soort helmstok om mee te sturen. Hoewel een rijtuig zonder paard een automobiel genoemd kan worden, kan, denk ik, een automobiel geen rijtuig zonder paard genoemd worden. In de Verenigde Staten was het waarschijnlijk George Brayton die in 1872, samen met George B. Seldon, het eerste goed functionerende rijtuig met benzinemotor bouwde. De machine kwam nooit in produktie en het zou nog 23 jaar duren voordat in Amerika de eerste echte automobielfabriek verscheen: de Duryea Motor Wagon Company in Illinois. Hier ontwikkelden Frank en Charles Duryea hun vierwielige voertuig voorzien van een watergekoelde, 2-cylinder motor, die 30 km per uur kon halen. De slagzin van het bedrijf luidde: 'Een rijtuig, geen machine', wat misschien verklaart waarom het bedrijf in 1898 op de fles ging. Maar de benzinemotor was niet meer weg te denken. Ondanks het feit dat er slechts zo'n duizend auto's op deze planeet rondreden, werd er al in 1895 een automobieltijdschrift uitgegeven: 'The Horseless Age'. Dit was ook het jaar voordat een jonge technicus in Michigan construeerde die voortbewogen werd door een 2-cylinder, 4 pk motor. Het was de eerste van de miljoenen die de naam van zijn uitvinder Henry Ford zouden dragen.

Intussen was in Engeland de 'Red Flag Act' eindelijk afgeschaft en werd de maximumsnelheid beperkt tot 20 km per uur. In de rest van Europa was snelheid iets om na te jagen, niet om te beperken en dus vond in 1895 de eerste automobielrace plaats: van Parijs naar Bordeaux en terug, 1175 moordende kilometers over wegen die aangelegd waren voor echte paardekrachten. Aan het einde van de race was het een door benzine aangedreven Panhard die met de eer ging strijken, met een gemiddelde snelheid van 24,5 km per uur.

In november van dat jaar vond er een soortgelijk evenement plaats in Amerika, toen auto's, aangedreven door benzine, stoom en elektriciteit, van Chicago naar Evanston in Illinois raceten en weer terug, waarbij de overwinning naar de op benzine lopende Duryea ging. In praktisch alle landen schoten rond die tijd honderden nieuwe stelsels uit de grond, en elk van hen schreeuwde het hardst om de aandacht en het geld van het publiek. Voor alles wat reed, was wel een koper te vinden. Zelfs achterhaalde ontwerpen als de Benz driewieler werden nog steeds verkocht. Meer dan 2000 stuks tuffen nog immer rond. Het is moeilijk voor te stellen dat zelfs op dit late tijdstip de meeste mensen hun eerste automobiel nog moesten zien, laat staan erin zitten of zelf rijden. Niet iedereen die dit voorrecht had gehad, was verheugd. In een redactioneel commentaar van The New York Times uit 1898 stond: '...deze nieuwerwetse voertuigen. Ze zijn onbeschrijflijk lelijk...' Ze waren inderdaad onaantrekkelijk, in tegenstelling tot de modellen van de volgende generatie. Deze automobielen zouden echte produkten van hun tijd zijn.

DE MODERNE TIJD

Het jaar 1900 was belangrijk voor de nog prille auto-industrie. Het was het jaar waarin de grote pionier van de automobielen, Gottlieb Daimler, stierf en waarin de eerste automobiel die representatief voor deze moderne tijd zou zijn, het levenslicht aanschouwde. Deze twee gebeurtenissen stonden niet los van elkaar. Negatieve publiciteit over race-ongelukken waarbij Daimlers betrokken waren, zorgden ervoor dat het publiek vraagtekens begon te zetten bij de veiligheid van dit merk. Als gevolg daarvan werd de nieuwe Daimler, die ontwikkeld was door Daimler zelf, Otto Maybach en in mindere mate Frank Jellinek, na de dood van Daimler op de markt gebracht onder de naam van Jellineks dochter Mercedes. (Stelt u zich de consequenties voor de huidige markt eens voor als ze Hortense had geheten).

De eerste Mercedes was geen rijtuig zonder paard. Zijn geperst-stalen chassis, honingraat-radiateur en zijn geavanceerde 4-cylinder, 35 pk motor maakten hem tot de eerste echte moderne automobiel. Andere fabrikanten volgden op de voet en spoedig deden vele namen die we vandaag de dag herkennen, een gooi naar een ereplaats in de geschiedenisboeken: Auburn, Austin, Bugatti, Buick, Cadillac, Chevrolet, Dodge, Fiat, Lancia, Maxwell, Napier, Oldsmobile, Packard, Peugeot, Renault, Rover, Singer, Sunbeam, Talbot, Vauxhall, Wilbury, Yaxa and Zust. Deze lijst, hoewel verre van compleet, is in zoverre representatief, dat sommige merken ons nog steeds omringen; sommige zijn verdwenen, maar hebben een grote faam verworven en zijn erg gewild als verzamelobject, terwijl andere merken nooit bestaan lijken te hebben. In feite zijn er gedurende de eerste honderd jaar autogeschiedenis meer dan 10000 merken verschenen en (veelal) weer verdwenen.

Onder de technische vernieuwingen die gedurende deze periode werden geïntroduceerd, waren mechanisch bediende kleppen, bovenliggende nokkenassen, automatische versnellingen, elektrische koplampen, 2-, 4-, 6-, 8- en 12-cylinder motoren en schijfremmen. Met uitzondering van computers en composietmaterialen uit het ruimtetijdperk vindt bijna elk onderdeel van de moderne auto zijn oorsprong in de ontwerpen van voor de Eerste Wereldoorlog.

De opmerkelijkste auto's uit die periode waren ongetwijfeld de Rolls-Royce Silver Ghost en de T-Ford. Respectievelijk geïntroduceerd in 1906 en 1908, zetten zij de standaard voor alle andere fabrikanten. Vreemd genoeg zouden de beide modellen 19 jaar lang in produktie blijven, maar het is het aantal geproduceerde auto's dat het volledige verhaal verteld: 7876 Silver Ghosts tegenover meer dan 15 miljoen T-Fords. Twee auto's, beide perfect en totaal verschillend van elkaar. De Rolls was bedoeld om het beste van het beste te bieden, ongeacht de kosten, terwijl Henry Ford de meeste auto's tegen de laagste kosten wilde bouwen. Toen hij met de produktie van de T-Ford begon, bedroeg de verkoopprijs 850 dollar, maar tegen de tijd dat hij in staat was om 1 exemplaar per uur van de band te laten rollen, was de kostprijs teruggebracht tot 260 dollar per stuk. Het is in dit verband niet nodig om opnieuw uit te wijden over de ontwikkeling van de lopende band of om de handgebouwde eigenschappen van een Rolls-Royce te beschrijven.

Wat wel belangrijk is, is dat auto's vanaf dit moment over het algemeen bestemd zouden zijn voor of de hogere klasse, of de grote massa. De auto's van de gebruikers van nu zijn in zekere zin afgeleid van de laatste categorie. Voor 's werelds belangrijkste autofabrikanten was de truc: massaprodukte van klasse-auto's. Om dit te bereiken waren er twee krachten nodig, die in de loop van de tijd net zo belangrijk zouden worden voor de auto-industrie als technische hoogstandjes en technische vernieuwingen: vormgeving en promotie.

Rond 1914 had de auto het paard in het dagelijks leven nagenoeg vervangen. De mogelijkheid om mensen en materieel snel te verplaatsen tijdens de Eerste Wereldoorlog, was de laatste nagel aan de doodskist van de plaatselijke dorpssmid.

Tegen de tijd dat de vrede getekend was, zag de wereld er totaal anders uit. De komende twintig jaar zouden via de ongelooflijke hoogtepunten van het Jazz Tijdperk via de bodemloze put van de Grote Depressie uiteindelijk belanden aan de vooravond van een nog destructievere Wereldoorlog. En waar in dit geheel zou de auto passen? Overal.

HET GOUDEN TIJDPERK

Bugatti Royale, Duesenberg SJ, Hispano-Suiza Type 68, Cord L-29, Isotta-Fraschini Tipo 8A, Pierce Silver Arrow: het zijn maar een paar van de schitterende machines die gedurende het Gouden Tijdperk gemaakt werden. Vormgeving, techniek, prestatie, klasse - ze hadden het allemaal. Net als de 'Maltese Falcon' waren zij 'de dingen waar dromen uit bestaan'. Dat geen van hun fabrikanten het heeft overleefd, heeft op geen enkele wijze hun aantrekkingskracht of waarde doen verminderen. En hoewel ze nieuw zeer duur waren, valt het te betwijfelen of een van hun ontwerpers hun huidige waarde zou kunnen inschatten. (Meer dan 9 miljoen in het geval van de Royale bijvoorbeeld).

Het zal duidelijk zijn dat lang niet iedere auto die tijdens deze periode gemaakt werd aan de hoogste eisen moest voldoen. Tegenover elke Duesenberg stonden er duizenden Dodges, net zoals er vele Chevrolets waren voor elke Cord. Uiteindelijk waren het de Chevy's, Fords, Austins, Fiats en andere populaire modellen die aan de lopende band geproduceerd werden, die de financiële ineenstorting van 1929 en de daaropvolgende ellendige jaren zouden overleven. Niet alle auto's zijn gelijk en dat geldt ook voor hun ontwerpers. De fantastische auto's van het Gouden

Tijdperk werden gebouwd door mannen met een grote, vaak onorthodoxe, visie. Alchemisten die in staat waren gewoon metaal te veranderen in dingen van betoverende schoonheid (goud, als je bekijkt wat ze tegenwoordig waard zijn). We werpen een korte blik op twee van deze auto-alchemisten, een blik die misschien enig inzicht kan verschaffen in het wezen van het compromisloze genie dat nodig is om deze ongelooflijke machines te maken en die misschien antwoord kan geven op de vraag waarom we ze waarschijnlijk nooit meer zullen zien.

Ettore Bugatti

Als zoon van een Italiaans ambachtsman, geboren in 1881, kocht Bugatti op 16-jarige leeftijd zijn eerste voertuig, een driewielige motorfiets. Na de nodige aanpassingen reed hij in 1899 mee in de race van Parijs naar Bordeaux. Tegen 1901 had hij al twee vierwielige auto's ontworpen en gebouwd en op de rijpe leeftijd van 21 jaar trad hij in dienst bij Dietrich. Dit werd al snel gevolgd door soortgelijke werkzaamheden voor Peugeot en Isotta-Fraschini. Een ontmoeting met de bankier Viscaya leidde tot de oprichting van zijn eigen fabriek in Molsheim, in Elzas-Lotharingen in Frankrijk. Hier werd in 1911 de eerste van zijn nu legendarische auto's, type 13, geproduceerd. Deze auto was een typisch voorbeeld van alle Bugatti's, omdat het ontwerp namelijk afweek van de algemeen geldende norm, die voorschreef dat snelle toerwagens groot, zwaar en krachtig moesten zijn. Bugatti schreef in voor de Grand Prix van Le Mans met zijn kleine, 4-cylinder auto met 8 kleppen, waarmee hij als tweede eindigde achter een van de monsterachtige 18-liter Fiats. Het succes van zijn auto's op het circuit bewees dat een kleine motor met een hoog toerental, opgehangen in een chassis met uitstekende wegligging, te preferen was boven pure massa en snelheid op het rechte eind. Racen zou altijd een belangrijke rol blijven spelen in Bugatti's leven, zowel voor de ontwikkeling van nieuwe ideeën als nieuwe publiciteit voor zijn werk. Het feit dat Bugatti's tussen 1924 en 1927 bijna 2000 races wonnen, geeft enigszins weer hoeveel gratis reclame er daardoor gemaakt werd voor Bugatti.

Bugatti zelf stond bekend als *Le Patron*. Aanbeden en gevreesd door zijn klanten, deed hij alles op zijn eigen manier, zijn gebruik van de hydraulische remmen bijvoorbeeld. Dit betekende dat de meeste fabrikanten verlost waren van weigerende, onbetrouwbare remkabels. Maar dat deed Le Patron niet. Toen hij stug door bleef gaan met het gebruik van remkabels en potentiële klanten het lef hadden om daarover te klagen, deelde hij hun mee dat hij zijn auto's maakte om mee te rijden en niet om te stoppen. Een ander typisch voorval gaat over een eigenaar die zijn nieuwe Bugatti voor de derde keer naar de fabriek terugbracht in de hoop dat er eindelijk een klein mankement gerepareerd kon worden. Hij werd tegengehouden door Le Patron, die hem te verstaan gaf nooit meer terug te komen. Dit alles draagt slechts bij tot de mythevorming die de auto's tegenwoordig nog omgeeft. Kan iemand zich voorstellen dat Henry Ford zou weigeren een auto te verkopen aan een man die 20.000 (in de jaren twintig!) dollar wil dokken - alleen maar omdat 's mans tafelmanier hem niet bevielen? Le Patron deed het, hoewel de slobberende schranser een vorst uit de Balkan was.

Naast het bouwen van auto's had Bugatti nog andere werkzaamheden: hij hield duiven, verzamelde rijtuigen voor paarden, ontwierp horloges, scheermesjes, zeilboten en benzine-locomotieven. Wat hij in zijn vrije tijd deed, wordt niet vermeld.

De Grote Depressie was het begin van het einde voor Bugatti. De verwoestende Tweede Wereldoorlog bezorgde hem de nekslag. Ten tijde van zijn dood maakte de oprichter nog steeds plannen voor naoorlogse Bugatti's, die zonder hem nooit zouden zijn. Hij stierf op 21 augustus 1947. "Als ik bereik waar ik naar streef, dan zal het zeker een auto zijn en een stuk techniek dat boven elke kritiek verheven zal zijn."

Errett Lobham Cord

Terwijl in 1924 de Bugatti's overal op de Europese circuits records vestigden, vestigde een jonge Amerikaanse autoverkoper records van een heel andere aard. De 30-jarige Errett Lobham Cord probeerde de Moon te verkopen en had daar zoveel succes mee, dat de directieleden van de wegkwijnende Auburn Company hem vroegen hun hachje te redden door hun onverkochte voorraad auto's op het fabrieksterrein snel te verpatsen. Hij stemde toe, maar alleen in ruil voor een optie op een meerderheidsbelang in het bedrijf als hij daarin zou slagen. In de mening dat ze niets te verliezen hadden, stemden de directeuren van Auburn toe. Niet lang daarna waren ze hun bedrijf en hun baan kwijt aan de man die hun auto's had overgespoten in felle kleuren, wat onderdelen had vernikkeld en die de hele handel met een nette winst had weten te verkopen. Men kon niet meer om E.L. Cord heen.

In de wetenschap dat zijn auto's er nu snel uitzagen, maar te weinig vermogen hadden, sloeg Cord munt uit zijn winst en verwierf de Lycoming Engine Company. Al spoedig waren de Auburns net zo snel als ze eruit zagen. Of, zoals hij The New York Times vertelde, de automobiel "is altijd een stijlvol voertuig geweest en zal dat altijd blijven". Rond 1929 waren de nettowinsten van Auburn explosief gestegen van 5 tot 37,5 miljoen dollar. Maar Cord was niet iemand om lang stil te zitten en het geld binnen te laten stromen.

In 1926 ging hij een samenwerkingverband aan met twee broers die wel de kennis, maar niet het geld hadden om fantastische auto's te bouwen. Fred en August Duesenberg namen zijn geld aan en deden precies wat hun nieuwe partner hun had opgedragen: ze bouwden een verdraaid goede auto. Hoewel er minder dan 500 Duesenbergs gebouwd werden, konden ze zich meten met de beste auto's ter wereld. Hun prachtige motoren van 265 pk, met 8 in 1 lijnmotoren, dubbele bovenliggende nokkenassen, 4 kleppen per cylinder, waren de krachtigste van hun tijd. Met de toevoeging van een aanjager werd het vermogen opgevoerd tot een verbijsterende 320 pk. In 1935 reed Ab Jenkins met een type JS 24 uur lang met een gemiddelde snelheid van 215 km per uur.

Hoewel hij geen technicus was, besloot Cord in 1929 om een auto te helpen ontwerpen die zijn eigen naam zou gaan dragen. Een maand voordat de aandelenmarkt instortte, werd de Cord L-29 voorgesteld aan het begerige publiek. De orders voor de geavanceerde, voorwielaangedreven machine stroomden binnen, maar Zwarte Dinsdag en de daaropvolgende donkere dagen eisten hun tol van de eigenlijke verkoop. Terwijl de Depressie erger werd, kostte het Cord meer en meer tijd om te proberen zijn imperium in stand te houden. Naast zijn autobedrijven beheerde hij de Stinson Vliegtuigfabriek, zijn privé-luchtvaartmaatschappij en een reusachtige scheepswerf.

In 1936 verbaasde hij de autowereld opnieuw toen hij een van de populairste klassiekers begon te maken, de door Gordon Buehrig ontworpen Cord 810. Uitverkoren door filmsterren als Jean Harlow en Tom Mix, was deze auto gedoemd te mislukken door dezelfde krachten die de produktie van de meeste 'specials' had beëindigd. De 2320ste en laatste Cord rolde op 7 augustus 1937 van de lopende band. Later in dat jaar verkocht Cord zijn belangen in de autobranche en trok zich terug om een actief leven te gaan leiden. Hij fabriceerde airconditioners, elektrische ventilatoren, diepvriezers, afwasmachines en keukenkastjes, hij deed in onroerend goed, exploiteerde een uraniummijn, had een radiostation en was in de politiek actief als senator voor de staat Nevada. Alleen de dood kon hem afremmen en zo stierf hij in 1974, op 79-jarige leeftijd. "Een van mijn eerste principes is om anders te zijn," schreef hij, "niet spectaculair of tegen de draad in, maar anders."

In dit gouden tijdperk maken we ook de opkomst van grote fabrikanten, die net na de Eerste Wereldoorlog begonnen en die in de een of andere vorm bleven bestaan tot op de dag van vandaag, mee. In de Verenigde Staten domineerden Ford en General Motors een markt die de verkoop op zag lopen van 2 tot 4,5 miljoen voertuigen tussen 1920 en 1929. In Engeland en op het vasteland van Europa was het ongeveer van hetzelfde laken een pak, zij het op een wat kleinere schaal. Daar liep de gecombineerde verkoop door bedrijven zoals Austin, Renault, Citroen, Morris en Peugeot tot in de miljoenen. Zij verkochten ook auto's aan een bevolking die na de lange oorlogsjaren niet meer te houden was. De beschikbaarheid van betaalbare auto's zorgde voor een nieuw soort vrijheid voor mensen uit de middenklasse. Voor de autofabrikanten betekenden de grote sommen geld die beschikbaar kwamen plus de hoeveelheid materialen die niet meer nodig waren voor oorlogsdoeleinden, een toename in de produktie om in de behoeften van deze nieuwe klanten te voorzien. Nieuwe technologieën en fabricagetechnieken die voorheen gebruikt werden om vliegtuigen en wapens te maken, konden nu worden aangewend om lichtere, sterkere en zuinigere auto's tegen lagere kosten te maken. Dit liet zich al snel vertalen in hogere verkoopcijfers en meer winst.

Als er een man is die de personificatie is van dit soort collectieve autoproduktie, dan is het wel Alfred P. Sloan. In zijn functie van president en voorzitter van het bestuur van 1923 tot 1946, hielp hij mee om van

General Motors de grootste onderneming ter wereld te maken. Hoewel wijdvertakt, zijn de autodivisies (Chevrolet, Pontiac, Oldsmobile, Buick en Cadillac) de fundamenten waarop het bedrijf is gegrondvest en waar het tot op de dag van vandaag op rekent als het aankomt op slagen of falen. Sloan was een van de eerste super-managers. Terwijl hij aandrong op uitgangspunten als decentralisatie en besluitvorming door commissies, leidde hij de introductie van jaarlijkse modelwijzigingen en haalde hij de afdeling Vormgeving, onder leiding van de briljante Harley Earl, binnen in de besluitvormingshiërarchie.

Onder Sloans leiding ontstond het concept van 'de opklimmende klant', wat omschreven wordt als een opwaartse beweging door de verschillende autodivisies binnen G.M. In theorie gaat dat als volgt: de jonge klant koopt als zijn allereerste auto een Chevy en start zo zijn relatie met het bedrijf. Hij kan dan twee kanten op: als zijn inkomen en status verbeteren, zal dat terug te vinden zijn in de aankoop van een nieuwe auto, zodat hij zich via een Chevy een weg omhoog baant naar een Cadillac. De andere kant houdt verband met merkentrouw, in welk geval de techniek en de vernieuwingen op het gebied van vormgeving die bij Buick en Cadillac het eerst worden toegepast, door zullen werken in de nieuwere bouwjaren van degelijke modellen zoals de Olds, Pontiacs en Chevy's. Effectief? Nou, reken maar! Eenvoudig? Achteraf gezien wel. Onder Sloans leiding versloeg G.M. iedere andere autofabrikant op het terrein van de verkoop. "We hebben ons ten doel gesteld om niet alleen voor een paar uitverkorenen te produceren, maar voor iedereen."

Het Gouden Tijdperk ging niet uit als een nachtkaars, maar ontplofte met een luide knal toen Hitler in 1939 Tsjechoslowakije binnenviel. In de daaropvolgende 8 jaar lag in Europa de produktie van personenauto's bijna helemaal stil, evenals in Amerika van 1941 tot 1946.

Zou de nieuwe naoorlogse periode een tweede gouden tijdperk inluiden, of was de goudader uitgeput?

DE ZWAARGEWICHTEN OVERLEVEN

Terwijl miljoenen mannen en vrouwen weer terugkeerden in het burgerleven, waren de automobielfabrikanten bezig zich van nieuwe machines te voorzien om de mensen dat te geven waar ze recht op hadden: nieuwe auto's en het liefst een heleboel. Dit zouden auto's worden die in de Verenigde Staten een gemiddelde levensduur zouden hebben van ongeveer 5 jaar en die daar al spoedig ook op gebouwd zouden worden.

G.M., Ford en Chrysler domineerden de Amerikaanse markt met twaalf verschillende merken (G.M. had alleen al 25 miljoen auto's geproduceerd). De weinige firma's die kleiner waren en die de depressie en de oorlogsjaren hadden overleefd, begonnen samen te werken: Studebaker met Packard, Nash met Hudson. Deze fusies waren totaal niet opgewassen tegen de Grote Drie. Twee nieuwe fabrikanten, Kaiser-Frazer en Tucker, zetten een fabriek op. Kaiser-Frazer slaagde erin een aantal interessante auto's te maken, maar ook dit bedrijf zou in minder dan tien jaar verdwenen zijn. Preston Tucker leek meer op Cord en Bugatti dan op Sloan. Hij voltooide slechts 51 van zijn geavanceerde, achterwiel-aangedreven, met schijfremmen en onafhankelijke wielophanging uitgeruste auto's, voordat hij door valse geruchten over vermeende fraude en aandelenmanipulaties gedwongen werd ermee te stoppen.

In Europa was de drang naar fuseren ook merkbaar en om precies dezelfde reden: overleven. Maar overeenkomsten met de Amerikaanse markt betekenden nog geen overeenkomsten in auto-ontwerpen. De Amerikaanse auto uit de jaren veertig en vijftig was te zwaar, had te weinig vermogen en was, voor het overgrote deel, ongeveer net zo rank als een tank met staartvinnen.

In tegenstelling daarmee was de auto aan de andere kant van de oceaan licht van gewicht, zuinig in het gebruik en voorbestemd om toch iets langer dan vijf jaar mee te gaan. In 1947 en 1948 werden er drie auto's op de markt gebracht die elk een enorm succes zouden boeken in hun land van herkomst. Een ervan zou een wereldhit blijken te zijn. Dit waren de Morris Minor (Engeland), de Citroen 2CV (Frankrijk), en de Volkswagen Kever (West-Duitsland). Zoals gezegd zijn befaamde auto's het produkt van grote genieën en de Morris Minor is hier een voorbeeld van. Hij werd bedacht en ontworpen door Alec Issigonis tijdens de laatste jaren van de oorlog en het bleek de juiste auto op het juiste tijdstip te zijn. Issigonis voorspelde dat er gedurende een aantal jaren niet genoeg benzine voorhanden zou zijn en daarom koos hij voor een kleine, zuinige auto, uitgerust met een zelfdragende constructie en onafhankelijke voorwielophanging. De auto was meteen een succes en er werden er meer dan een miljoen van verkocht. Het belang van deze auto mag niet onderschat worden. Als deze een flop was geweest, valt het betwijfelen of Issigonis ooit toestemming zou hebben gekregen om de meest succesvolle Britse auto aller tijden te bouwen: de Mini.

In Frankrijk introduceerden zowel Renault als Citroen in 1947 kleine, praktische auto's. De achterwiel-aangedreven Renault 4CV, waarvan er meer dan een miljoen werden verkocht, was beïnvloed door de ontwerpen van Ferdinand Porsche voor de Volkswagen Kever. De Citroen 2CV, of de Deux Chevaux, ziet er uit alsof hij ontworpen was door een of andere dronkaard. In onze huidige high-tech wereld staat deze auto, waarvan er nog steeds varianten geproduceerd worden, qua prijs, zuinigheid en onderhoudsgemak het dichtst bij de T-Ford. Met zijn oorspronkelijke 8 pk motor haalde hij een topsnelheid van 55 km per uur en liep hij ongeveer 1 op 20. Binnen vijf jaar na zijn introductie produceerde Citroen er 1000 per dag en zelfs dat was niet genoeg om aan alle bestellingen te voldoen. Vreemd genoeg is dezelfde 2CV nu een favoriet van dezelfde Hollywood-figuren die eerder gek waren van Cords en Duesenbergs. Meer dan vijf miljoen zijn er gemaakt en ze tellen nog steeds. *Vive la Deux Chevaux!*

De populariteit van deze en andere auto's zoals de Fiat Topolino, Austin A30 en Panhard Dyna telde niet echt mee in Detroit. Waarom zou je per slot van rekening kleine, lelijke auto's met te weinig vermogen maar een gunstig benzineverbruik bouwen als je veel meer geld kunt verdienen met het verkopen van grote, lelijke auto's met weinig vermogen die benzine zuipen? Volkswagen was de eerste die deze denktrant doorbrak. Hij werd, op verzoek van een waanzinnige, ontworpen door een genie en het zou de populairste auto uit de autogeschiedenis worden. Ferdinand Porsche (het genie) was al lang een van de topontwerpers/technici van Europa en had al veel voorbereidend werk gedaan met kleine prototypes van achterwielaangedreven auto's. Toen Adolf Hitler Porsche vroeg om een Volkswagen te ontwerpen, oftewel een auto voor het volk, die elke Duitser zich zou kunnen veroorloven, was Porsche er klaar voor. De auto werd in 1935 op de Berlijnse Auto-Show geïntroduceerd en op bijna hetzelfde moment begonnen de orders binnen te stromen. Rond 1938 hadden meer dan 250 duizend Duitsers een order geplaatst, met genoeg aanbetalingen om de fabriek te helpen bouwen die de auto's ging produceren. Toen besloot Hitler om de Tweede Wereldoorlog te beginnen. Er werden tussen 1939 en 1945 70 duizend VW's gebouwd, maar het waren allemaal militaire versies. Bijna tegelijk met de capitulatie begonnen de produktielijnen weer te werken en tegen de tijd dat de Morris Minor en de Citroen 2CV op de markt kwamen, had Volkswagen al 25000 Kevers verkocht. Ze verkopen ze nu nog steeds.

Op 17 februari 1972, toen nummer 15007034 van de band rolde, was eindelijk het langdurige record van de T-Ford gebroken. Op dit moment, terwijl de auto in landen als Mexico en Brazilië gemaakt wordt, is het bedrag van 20 miljoen mark overschreden.

Het is onnodig te zeggen dat niemand hieraan dacht toen de eerste VW's in de Verenigde Staten aankwamen. Ze waren het mikpunt van spot en er werden er slechts 1000 verkocht in een periode van 4 jaar. Maar de Duitsers gaven niet op en sloegen een wig in de Amerikaanse markt die de weg opende voor een blitzkrieg van imports.

En wat geef je als toegift nadat je een fantastische auto hebt gemaakt voor iedereen? Je maakt er een voor de happy few, zet daar je naam op en schaart je onder de wereldtop van de auto-constructeurs. Precies zoals de man uit Modena, *Il Commendatore*, Enzo Ferrari.

Wat Bugatti was voor de afficionado's van de jaren twintig en dertig, dat was Enzo Ferrari voor de jaren vijftig, zestig, zeventig en tachtig. Vanaf het moment dat de eerste Ferrari verscheen in 1947 tot aan zijn dood in 1988 op de leeftijd van 90 jaar, was zijn naam het symbool voor snelheid en stijl voor de naoorlogse generaties. Zelfs in het Amerika van de jaren vijftig, waarin eenvormigheid was religie was, deed de Ferrari vele harten sneller slaan. Gelukkig was onder deze slachtoffers een aantal ingenieurs die bij G.M. en Ford werkten, en die hun passie vertaalden in de Corvette en de Thunderbird. Helaas, voor het overgrote deel waren de Amerikaanse auto's uit de jaren vijftig oefeningen in overdreven vormgeving. Bij twijfel: meer chroom en grotere staarten. Opzichtig? Reken maar! Men vond ze echter prachtig (behalve de Edsel). In de jaren tachtig werden de auto's die het overleefden, elke dag meer waard en de auto's

die toentertijd lachwekkend schenen, stralen nu met een zekere nostalgische gloed (behalve de Edsel).

De invloed van de Volkswagen en andere zuinige auto's zorgde toch voor een hoop deining in Detroit. Kaiser-Frazer reageerde het eerst met de Henry-J, maar de verkopen lieten het afweten en spoedig ook de Henry-J. American Motors probeerde het met de Rambler, Ford met de Falcon en G.M. met de Corvair. De twee eerste waren redelijk succesvol, hoewel erg saai en ongeïnspireerd, maar de Corvair was een schoonheid. De Europees aandoende vormgeving, gekoppeld aan een luchtgekoelde motor, achterwielaandrijving en onafhankelijke wielophanging maakte hem tot de interessantste Amerikaanse auto sinds de jaren dertig. Helaas raakten de ook de verkeerde mensen er om de verkeerde redenen in geïnteresseerd en de auto verdween na een negatieve publiciteitscampagne, die doet denken aan een recent accelleratie-fiasco.

Eigenlijk wilden de Amerikanen nog steeds grote auto's en dat is precies wat ze dan ook kregen. De echte revolutie van de kleine auto kwam pas later als reactie op de toenemende vloed buitenlandse auto's en de afnemende vloed buitenlandse olie. En waar zou het grootste deel van deze importen vandaan komen? Toch zeker niet uit een of ander klein, overbevolkt, door smog geplaagd eiland in de verre uithoeken van de Stille Oceaan?

Sommige industriële analisten waren al lange tijd bezig met het wakker schudden van de belangrijkste automobielfabrikanten die maar eens moesten kijken naar wat er aan de hand was in de buitenwereld. Maar weinigen luisterden; men droomde liever over de helden die altijd wonnen en dat waren zijzelf natuurlijk.

SLAPEND ACHTER HET STUUR

De eerste Japanse import veroorzaakte nog niet veel slapeloze nachten in de voorsteden van Detroit. Deze auto's werden gemaakt voor de thuismarkt en hun weinige aantrekkelijke eigenschappen beschouwde de Westerling al als gewoon, met name de vormgeving. Maar dezelfde verbetenheid die ook de dominantie van de Japanners op het gebied van de computerchip en consumentenelektronica kenmerkte, zou dat allemaal veranderen. Tegen het begin van de jaren zestig begonnen Datsun (Nissan) en Toyota allebei aantrekkingskracht uit te oefenen op de jonge koper, die deze auto's zag als een betaalbaar alternatief voor o.a. de Kever.

In 1960 besloeg de Amerikaanse auto-import ongeveer tien procent van de thuismarkt en was vergelijkbaar met het aandeel van de eigen, kleine Amerikaanse auto. Maar tegen 1963 zorgde de overvloed in keuze-aanbod door Detroit, 429 modellen alleen al dat jaar, ervoor dat de auto-import met de helft verminderde. In de jaren daarna herontdekte Detroit het begrip 'presteren' met de komst van twee nieuwe flitsende auto's: de Pontiac GTO en de Ford Mustang.

De GTO was niets meer dan een doodgewone kleine versie van de Tempest met grotere remmen, stijvere vering en met een monster van een 400 kubieke inch V-8 onder de motorkap. Die was echt snel. Opeens waren de staartvinnen uit de mode en was optrekken van 0 naar 100 het helemaal.

Het succes van de eerste 'krachtpatser' werd spoedig overtroffen door de komst van de eerste 'pony'-wagen. De Ford Mustang was betaalbaar, praktisch en opwindend voor een heel nieuwe generatie automobilisten. Al snel waren er Firebirds, Superbirds, Barracuda's, Camaro's en Chargers, die met gierende banden wegspoten bij stoplichten door het hele land. Gesprekken over zuinigheid werden nu discussies over kubieke centimeters, brede sloffen en hogere verzekeringspremies. Het is interessant dat de drie meest memorabele naoorlogse auto's die uit Detroit kwamen, de Corvette, de Mustang en de GTO, geassocieerd werden met individuele mensen binnen de bedrijven: Zora Arkus-Duntov, Lee Iacocca en John De Lorean.

In Engeland bewoog de industrie zich nog meer in de richting van grote producerende conglomeraten. Maar in tegenstelling tot Amerika was er nog ruimte voor de kleine fabrikant van speciale auto's. De meesten hadden erg weinig effect op de automobielwereld, terwijl anderen, zoals Collin Chapman, internationale figuren werden. Hij was een briljant technicus en hij bouwde de eerste Lotus race-auto in 1949. De weg-uitvoeringen, van de 1958 Elite tot en met de huidige Esprit Turbo, behoren tot de beste ter wereld. Zijn plotselinge dood in 1982 op 54-jarige leeftijd betekende dat er een vernieuwer minder was om de opkomende vloed van namakers tegen te houden. Lotus is nu eigendom van G.M. en doet dienst als research- en ontwikkelingsfaciliteit. Onder de produkten die daar geperfectioneerd worden, bevinden zich computergestuurde 'actieve' wielophangingsystemen en andere high-tech vernieuwingen die binnenkort in de massaproduktie-auto's toegepast worden.

Op het continent van Europa was het veelal hetzelfde verhaal. Zelfs Enzo Ferrari accepteerde overnamekandidaten, onder wie Henry Ford. Maar Fiat ging met de eer strijken. In 1969 werd het de belangrijkste aandeelhouder, maar liet het bestuur in handen van Ferrari. Lee Iacocca, die een belangrijke rol speelde in het weinig succesvolle bod van Ford op Ferrari, zou meer geluk hebben bij Chrysler, toen hij grote belangen in Maserati en Lamborghini aankocht.

Ten tijde van de Chrysler-deal was Feruccio Lamborghini al meer dan tien jaar weg bij het bedrijf dat zijn naam droeg. In tegenstelling tot Bugatti of Ferrari werd Lamborghini niet persoonlijk geïdentificeerd met zijn auto's. Hij had zijn fortuin verdiend met het maken van tractoren, kachels en airconditioners. Hij was een echte autoliefhebber, iemand die ooit de 'Mille Miglia' reed, en hij hield er een complete stal met exotische exemplaren op na. Niet gelukkig met het werk geleverd aan zijn Ferrari, besloot hij op een dag naar Maranello te rijden en er met Enzo over te spreken. Nadat hij enige uren had lopen ijsberen in een wachtkamer naast het kantoor van Il Commendatore, realiseerde hij zich dat Ferrari helemaal niet van plan was om hem te spreken. De boze Lamborghini die wegstormde, was niet langer gewoon een of andere rijke Italiaanse industrieel. De boosheid van Feruccio Lamborghini maakte van hem een autofabrikant die gezworen had om Ferrari op eigen terrein te verslaan met het maken van technisch hoogwaardige, exotische auto's.

Zijn eerste auto, de viernokkige V-12, GT-350, verscheen in 1964. Hij werd door de jaren heen opgevolgd door andere, nog opwindendere creaties: Islero, Jarama, Espado, Muira, Urraco en eindelijk in 1974 door de opvallendste, meest nagestaarde auto van de wereld: de Countach. Tegen de tijd dat die op de markt kwam, was Lamborghini jammer genoeg niet meer in dienst bij het bedrijf. Financiële en andere zorgen van zijn industriële imperium dwongen hem tot verkoop, maar pas nadat hij de leiding had gehad over de ontwikkeling van een auto waarmee hij, in de ogen van velen, zijn droom bewaarheid zag worden: Ferrari was verslagen.

Terwijl in 1973 het prototype van de Countach de *autostrada* van Milaan naar Turijn op en neer scheurde, gebeurde er iets dat een veel grotere invloed op de autowereld zou hebben. De prijs van ruwe olie ging van 3 dollar naar 12 dollar per vat. Hoewel de effecten hiervan op grote schaal merkbaar waren, had het de grootste invloed in het land van de tolweg en het thuis van de benzineslurpers, waar de wetgevers in paniek alles probeerden en nog net niet de 'Red Flag Act' van stal haalden om het probleem de baas te worden.

TUSSEN DE WIELEN

De jaren die volgden op de oliecrisis van 1973, hebben zulke veranderingen teweeggebracht in de auto-industrie, dat die ons nog tot zeker in de 21ste eeuw zullen bijblijven. Wetten met betrekking tot zuinig benzineverbruik, veiligheid en eisen voor schonere verbranding werden door steeds meer regeringen bekrachtigd en dat heeft geleid tot efficiëntere, veiligere en, jawel, betere auto's. Maar de uitgaven voor deze aanpassingen zijn geweldig geweest en die zijn, zoals altijd, doorberekend aan de klant. Ford bijvoorbeeld gaf in 1978 meer geld uit aan de ontwikkeling van auto's die aan de nieuwe eisen konden voldoen, dan het bedrijf in alle jaren had uitgegeven aan alle auto's die het ooit ontwikkeld had sinds Henry Ford zijn eerste auto op de keukentafel bouwde. Zelfs een Yugo of een Hyundai heeft tegenwoordig een hoger prijskaartje dan de Cord L-29 toen hij geïntroduceerd werd. Over inflatie gesproken!

De auto's van tegenwoordig worden ontworpen met behulp van computers, gebouwd door industriële robots en gestroomlijnd in een windtunnel. Ze gaan harder, remmen beter en gaan langer mee, maar ze lijken allemaal op elkaar, ongeacht het merk of land van herkomst. Toen Ford in 1980 de Escort introduceerde, noemden ze die de 'wereldwagen'. Hij is ontworpen in Europa, wordt in elkaar gezet in verschillende landen terwijl het loopwerk en de versnellingsbak uit Japan komen. De Escort was

meteen een succes en staat continu bovenaan de lijst van de meest verkochte auto's. Maar als je hem vergelijkt met de moeilijk te achterhalen internationale afkomst van sommige auto's, dan is de Escort nog enigszins provinciaal. De nieuwe Ford Mustang van 1986 werd ontworpen op basis van een Japans chassis, geassembleerd in een Amerikaanse vestiging van Mazda en is voorzien van een Amerikaanse Ford-motor. Klaarblijkelijk is Ford behoorlijk teruggekomen van de verklaring van Henry II dat hij nooit zou dulden dat auto's met zijn naam een Japanse motor onder de kap zouden krijgen.

De Japanse autoconstructeurs volgden simpelweg het voorbeeld van Volkswagen om de beperkende, door in het bezorgde buitenland opgelegde importquota's te omzeilen, en begonnen hun auto's dus in datzelfde buitenland te fabriceren. Misschien is Honda, dat in 1982 zijn eerste fabriek in de Verenigde Staten opende en binnen vier jaar zou uitgroeien tot de op vier na grootste autofabrikant van Amerika, hier het meest in geslaagd. Het wereldwijde succes van deze fabriek kan grotendeels worden toegeschreven aan de oprichter en leider Soichiro Honda. Begonnen als fabrikant van motorfietsen, werd hij door de leiders van de Japanse auto-industrie altijd beschouwd als een buitenbeentje, maar niettemin is Honda de enige fabrikant die meteen wordt geassocieerd met auto's. Komt dit omdat deze wagens met zoveel buitengewone expertise en techniek worden gebouwd, of andersom?

De auto's van vandaag zijn nog steeds een produkt van denkwerk en handenarbeid, maar de eigenlijke ontwerpers worden steeds anoniemer. Maar naar alle waarschijnlijkheid loopt het tijdperk van de ondernemende constructeur ten einde. Recente pogingen zoals bij de Bricklin of de tot mislukken gedoemde DeLorean DMC-12 kunnen alleen een illustratie vormen van de problemen die overwonnen moeten worden om nieuwe auto's van de tekentafel te krijgen. Er is nog een groot aantal gespecialiseerde firma's, maar zij fabriceren meestal bouwpakketten of bouwen bestaande modellen om. Firma's zoals Koenig, Ruf, AMG en Calloway nemen een prestatiewagen als basis en zijn dan in staat om deze dat kleine beetje extra te geven dat zo'n wagen uniek maakt. De gedachte alleen al dat iemand zelfs nog staat is om de prestaties van een Ferrari Testarossa of een Porsche 911 Turbo te verbeteren, boezemt ontzag in. Vijftig jaar geleden zou zo'n persoon begonnen zijn met het van de grond af opbouwen van zijn eigen auto.

Wat heeft de toekomst in petto? Meer en tegelijkertijd ook minder van hetzelfde. De toekomstige auto's zullen nog efficiënter worden, maar we komen op een punt dat onze fossiele brandstoffen zeer schaars worden en dan zal onze oude vriend, de door benzine gevoede interne verbrandingsmotor, moeten worden vervangen. Door wat? Door een motor die op zonne-energie loopt? Door een motor die op elektrische energie loopt? Misschien maakt stoom als krachtbron wel weer zijn rentree. In welke vorm de auto van de toekomst ook zal verschijnen, we kunnen er zeker van zijn dat de doorbraak geleverd zal worden door een persoon en niet door een groot bedrijf. Het zal iemand zijn over wie we over honderd jaar net zo zullen schrijven als nu over Benz, Ford en Bugatti. Iemand met passie voor auto's, die net als ontwerper Harley Earls kan zeggen: "Ik droom automobielen."

1, 3 & 5 1966 AC SHELBY COBRA 427 S/C 62 jaar voordat deze 7-liter asfaltvreter records begon te vestigen op het racecircuit, stond de Auto Carrier Company bekend om zijn produktie van kleine, efficiënte bedrijfswagens. Het duurde tot 1907 toen met de produktie van een personenwagen de initialen AC werden aangenomen. **2 1982 AC ME 3000** Deze interessante auto begon zijn levensloop in 1972 als een eenmalige special, genaamd de 'Diabolo'. Een van zijn ontwerpers was verantwoordelijk voor de auto uit de film 'Chitty-Chitty Bang-Bang'. AC kocht de rechten op van het ontwerp en startte de produktie in 1978. **4 1960 AC GREYHOUND** In oktober 1960 begon AC met de produktie van de vierpersoons Greyhound. Afgeleid van de sportievere Aceca werden de eerste Greyhounds geplaagd door een slechte wegligging, veroorzaakt door problemen met de achterwielophanging, maar deze werden spoedig verholpen. **6 1966 SHELBY COBRA 427 S/C IN RACE-UITVOERING**

1

2

3

4

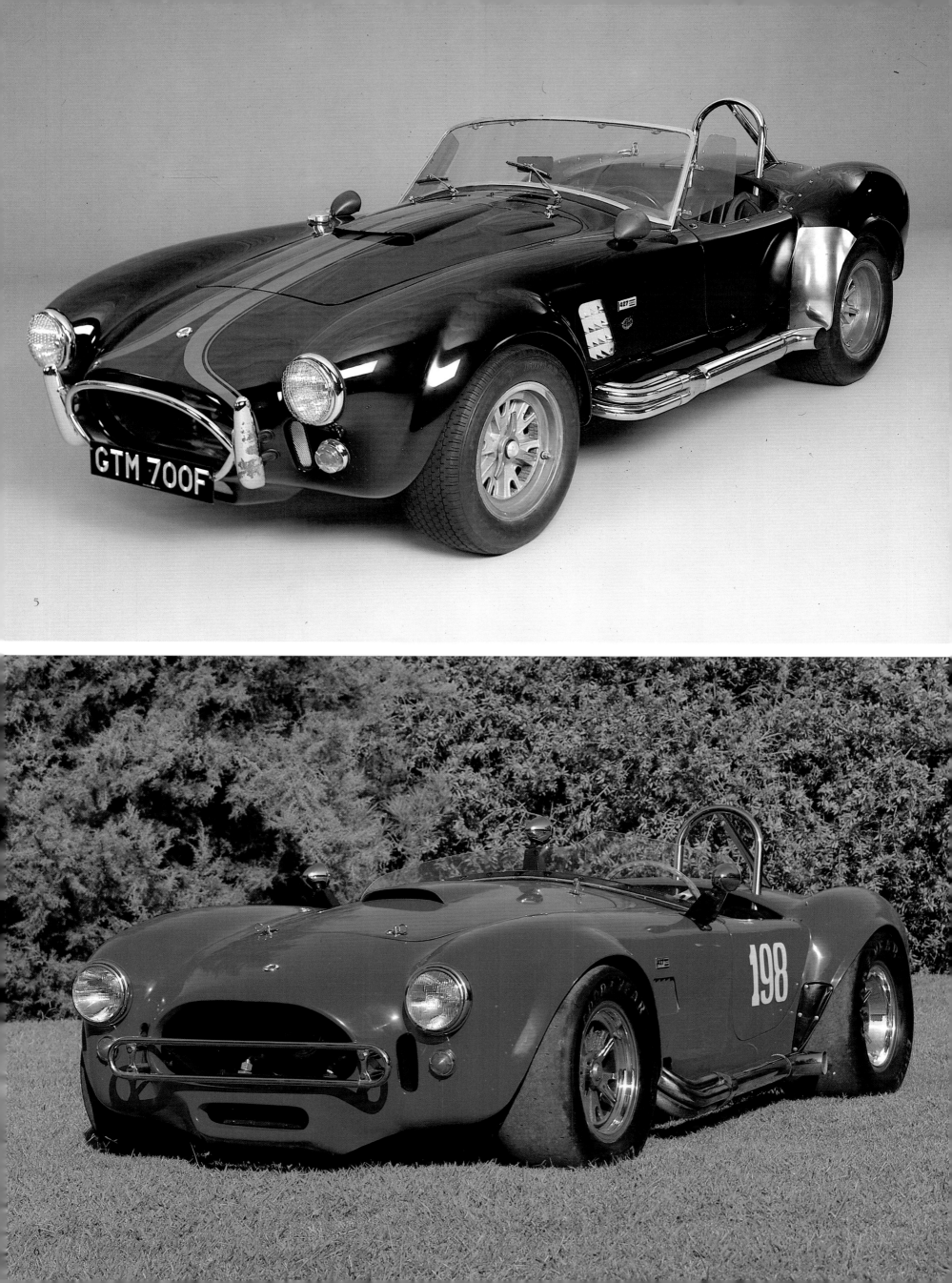

5

1

2

3

4

1 1931 ALFA ROMEO 6C 1750 De 6C werd ontworpen door de beroemde Vittorio Jano. Deze auto, in produktie van 1929 tot 1933, wordt wel beschouwd als de volmaaktste Alfa die ooit gemaakt is. **2, 4, 6 & 7 ALFA ROMEO 8C 2900B** In een poging om hun leidende positie in lange-afstand-sportwagenraces te behouden, vergrootte Alfa de inhoud van haar motoren tot 2,9 liter, allereerst met de 8C 2900A en daarna, in 1937, met de 8C 2900B. In 1938 startte een team van vier 8C 2900B's in de 'Mille Miglia' en aan het eind van de duizendmijlsrace werden ze gerangschikt als de nummers 1, 2 en 3. **3 1932 ALFA ROMEO 8C 2300** Het volgende Alfa-ontwerp van Jano was deze 8C 2300, die geïntroduceerd werd in 1931. **5 ALFA ROMEO 6C 2500** Net voor het uitbreken van de Tweede Wereldoorlog begon Alfa met de produktie van de 6C 2500. Een van de laatste modellen die gebouwd werden, was een speciaal bestelde, door Touring ontworpen open sportcoupé, bestemd voor Benito Mussolini. Na de oorlog werd een aantal van de overgebleven 6C 2500 chassis uitgerust met een nieuwe carrosserie van Touring (nu officieel Carrozzeria Touring Superleggera geheten), Pininfarina en Boneschi. Het verhaal gaat dat, elke keer dat een Alfa Romeo hem voorbij reed, Henry Ford zijn hand naar zijn hoed bracht en beleefd groette. Kijk naar deze auto's en u begrijpt waarom.

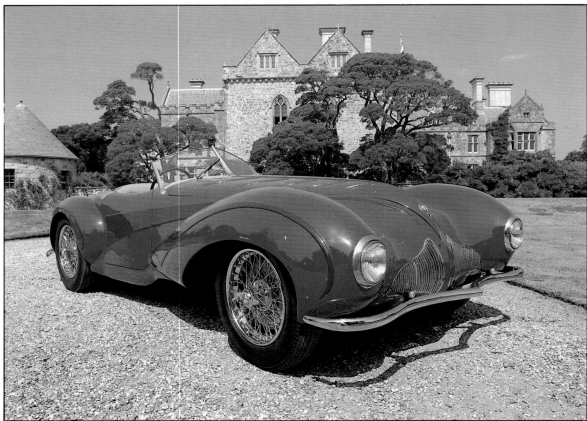

5

1, 2 & 5 1955 ALFA ROMEO B.A.T. 90d De B.A.T.-series verschenen in 1953 toen het bedrijf van Nuccio Bertone van Alfa Romeo de opdracht kreeg op het chassis van het type 1900 een speciale carrosserie te ontwerpen voor een showmodel. De uiteindelijke ontwikkeling van het ontwerp was de B.A.T. 9d uit 1955. **3 1974 ALFA ROMEO 1600 SPYDER** De Spyder werd in 1967 geïntroduceerd en wordt nog steeds gemaakt. Samen met de Porsche 911 is hij recordhouder als 's werelds langst geproduceerde sportwagen. **4 1959 ALFA ROMEO GUILIETTA 1300 SPYDER** In de jaren vijftig en zestig waren de Guilia en de Guilietta de auto's die Alfa maakte om den brode. Ze waren betaalbaar, redelijk betrouwbaar en het waren echte sportwagens. **6 1984 ALFA ROMEO GTV 6 2+2** Deze auto, met zijn 2492 cc V-6 motor met enkelvoudige nokkenas, is uitgerust met computergestuurde digitale ontsteking voor betere prestaties en een efficiënter benzineverbruik. **7 1989 ALFA ROMEO 75** De Alfa 75 (de Milano in de VS) was een welkome vervanger van de GTV. Te krijgen met 2-, 2,5- en 3-liter motor is het de laatste echte, op klassieke leest geschoeide Alfa. **8 1989 ALFA ROMEO 75 MET DUBBELE ONTSTEKING** De 4-cylinder, 2-liter motor met dubbele ontsteking heeft 2 kleppen en 2 bougies per cylinder.

3

4

5

6

7

8

1 & 2 1936 ALVIS SPEED 25 De eerste Alvis, de 10\30, werd in 1920 gebouwd. Het bedrijf maakte vele interessante auto's door de jaren heen, inclusief een serie voorwiel-aangedreven auto's die verscheen in de jaren twintig, zoals het type uit 1928 dat we hier zien (**4**). Maar het is de 3,5-liter Speed 25 die door velen beschouwd wordt als het beste ooit gemaakt door dat merk. **5 1963 ALVIS TD 21** Deze Alvis, met zijn klassieke koetswerk van Mulliner-Park Ward, was een van de laatste die geproduceerd werd voordat het bedrijf verkocht werd aan Rover in 1965. Rond 1967 was Alvis volledig gestopt met de produktie. **3 1948 ALLARD** Ontworpen en gebouwd door Sydney Herbert Allard, voelden deze auto's zich net zo goed thuis op de snelweg als op het circuit. Aangedreven door een Ford V-8, was deze K1 cabriolet de voorganger van de P1 vierdeurs personenwagen die in 1952 de race van Monte Carlo won.

6

7

9

8

6 1935 ARMSTRONG SIDDELEY, 7 1946 ARMSTRONG SIDDELEY TYPHOON, 8 1960 ARMSTRONG SIDDELEY SAPPHIRE Armstrong Siddeley was niet de autokeuze van autoliefhebbers, maar van doctoren, geestelijken en kleine, grijze oude dametjes, vooral omdat ze behoorden tot de eerste autofabrikanten die een automatische versnelling aanboden, de 'zelf schakelende' versnellingsbak. Munt slaand uit hun oorlogsproduktie van vliegtuigen noemden ze hun eerste naoorlogse modellen de Lancaster, Hurricane en Typhoon. Het laatste en beroemdste model was de Sapphire, een 3,4-liter, die in 1952 in produktie ging en tot in 1960, toen het bedrijf de auto-industrie verliet, gemaakt werd. **9 1972 AMERICAN MOTORS AMX** De AMX was bedoeld om nieuwe, jongere klanten naar American Motors showrooms te lokken. Hij vestigde in 1968, het eerste jaar dat hij te koop was, een aantal snelheidsrecords. De verkoop was teleurstellend en in 1970 werd de AMX tweezitter vervangen door de vierpersoons Javelin.

1 & 2 1932 ASTON MARTIN LE MANS De Le Mans kwam voort uit de New International. Verkrijgbaar in twee- of vierzits uitvoeringen werd hij onmiddellijk een succes bij zowel de autojournalisten als bij het publiek. De auto was zwaar (1067 kg) voor zijn 70 pk motoren, maar bood een geweldige wegligging. **3 1950 ASTON MARTIN DB-2** Hoewel uitgerust met een produktiecarrosserie werd deze auto aangedreven door een 6-cylinder LB6 motor die door Bentley ontwikkeld was. **4 ASTON MARTIN DB-3S MOTOR** Deze 2922cc motoren leverden tussen de 182 en 240 pk. Ze baanden zich een weg naar overwinningen in races door geheel Europa van 1953 tot en met 1956. **5 1981 ASTON MARTIN DBS V-8** De 5,3-liter V-8 verscheen voor het eerst in 1970 en is het 'standaard'-model van het merk geworden. Deze krachtige auto's zijn in staat om 225 km per uur te halen, zelfs wanneer ze zijn uitgerust met automatische versnelling.

1

2

3

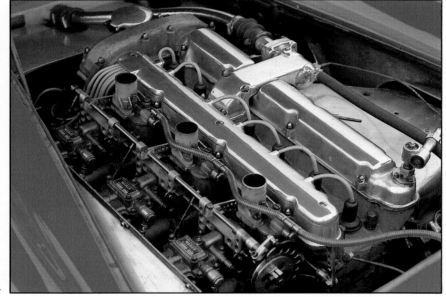

4

5

ASTON MARTIN VANTAGE V-8 (9), ZAGATO (6), EN VOLANTE (7) Auto's uit de Vantage-serie zijn grote prestaties leverende verfijningen van de standaard V-8. Hun 5,3-liter, 240 pk motoren leveren een ongelooflijk torsiekoppel en een topsnelheid van 270 km per uur. Deze prestaties komen voort uit fantastisch vakmanschap wat ze tot de meest gewilde auto's ter wereld maken.

8 1982 ASTON MARTIN LAGONDA Deze Lagonda, voor het eerst geproduceerd in 1978, was een fascinerende combinatie tussen Oude-Wereldtraditie en technologie uit het ruimtetijdperk. Hij was uitgerust met tiptoetsschakelaartjes en digitale instrumentengegevens die werkelijk de stand van zaken aangaven, en had een met de hand vervaardigde aluminium carrosserie. De Lagonda wordt nog steeds volgens dezelfde specificaties gebouwd en nog op precies dezelfde manier.

6

7

8

9

1 & 2 1931 EN 1935 AUBURN PHAETON SEDANS

Zoals we in de inleiding zagen, was het een fabrieksterrein vol met Auburns dat E.L. Cord op weg hielp naar een plaats in de geschiedenisboeken. Maar wat gebeurt er met de auto's zelf? Ondanks het feit dat ze overschaduwd werden door zowel de Duesenberg als de Cord, boden ze toch, zoals hun populaire slagzin het uitdrukte 'veel auto voor je geld'. De hier afgebeelde Phaetons typeren de vormgeving van Auburn, terwijl de V-12 (**4**) een uitstekend voorbeeld is van wat velen als de 'baby'-Duesenberg beschouwen. Het was een teken aan de wand dat de verkoop terugliep van een hoogtepunt van 31000 in 1931 tot slechts 4800 in 1933. De laatste Auburns, van het bouwjaar 1934, waren ontworpen door Alan Leamy en werden voor de bouwjaren '35 en '36 verfijnd door Gordon Buehrig. Tegen die tijd lieten de boeken niets anders zien dan rode cijfers en binnen een jaar was de Auburn verdwenen.

1

2

3

4

5

6

7

8

5 1984 AUDI 80 QUATTRO, 6 1986 AUDI QUATTRO, 7 1985 AUDI QUATTRO 200 TURBO, 8 1985 AUDI QUATTRO SPORT, 9 1988 AUDI 80 1.8e Herrezen uit de as van de Auto-Union Company van voor de Tweede Wereldoorlog, werd de eerste Audi in 1963 gemaakt onder de supervisie van voormalig Mercedes Benz Grand Prix auto-ontwerper Ludwig Kraus. Toen Kraus met pensioen ging, werd de afdeling ontwikkeling overgenomen door Ferdinand Piech, kleinzoon van de legendarische Ferdinand Porsche. Met zo'n afstamming is het geen wonder dat Audi iedereen in de rallysport verslaat met zijn constante vierwiel-aangedreven Quattro. Voortgestuwd door een unieke 5-cylinder motor, heeft de Quattro sinds de introductie in 1987 bewezen een van de best presterende auto's van de afgelopen tien jaar te zijn. Tijdens zijn ontwikkeling zijn opties zoals turbo-aanjager, ABS remmen en, sinds het begin van 1987, een 4-cylinder motor verkrijgbaar. Nieuwere Quattro's zijn uitgerust met het centrale Torsen (torsie registrerende) differentieel. De huidige modellen worden aangedreven door een 130 pk, 5-cylinder motor, gekoppeld aan een handgeschakelde 5-versnellingsbak. De grotere Quattro's hebben een 162 pk, 2,2-liter turbo (**7**). De vorm van de 80 en 90 serie biedt een van de laagste waarden ter wereld voor de luchtweerstandscoëfficiënt (Cx) van een sedan.

9

1

2

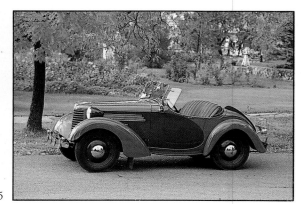

4

5

3

1 1925 AUSTRO-DAIMLER Deze auto werd gemaakt van 1899 tot 1934 en Austro-Daimler verkeerde in de gelukkige omstandigheid dat men beschikte over de diensten van ontwerper Ferdinand Porsche, die veel van hun vroege modellen ontwierp voordat hij in 1923 vertrok.

2 1927 AUSTIN SEVEN 'CHUMMY' Hoewel Austin al sinds 1906 auto's fabriceerde, met inbegrip van een aantal Grand Prix auto's die waren gebaseerd op standaard sedans, zoals deze op de foto (**3**), was het toch de Austin Seven die de aandacht op het bedrijf vestigde. Deze werd in 1922 geïntroduceerd en ging in tegen de heersende opvatting dat een kleine auto gebaseerd was op een fiets. De Seven was in wezen een op schaal nagemaakte grotere auto met een stille, betrouwbare 747 cc, 10,5 pk motor met een topsnelheid van 80 km per uur. De standaard 'Chummy' vierzits aluminium carrosserie werd door de jaren heen vele malen aangepast, zoals u kunt zien aan de in Amerika geproduceerde Bantam Roadster uit 1939 (**5**). De Austin Ten, hier in de versie uit 1939 van een Colwyn Cabriolet (**4**), was Austins best verkopende auto in de jaren dertig en hij bleef in produktie tot 1947. De 2,3-liter Model Sixteen (**6**) was een kleinere uitgave van de 6-cylinder Model Twenty.

6

De Mini is al sinds de introductie in 1959 constant in produktie. Tegen de tijd dat het hier afgebeelde exemplaar uit 1981 werd gebouwd, waren meer dan 4,5 miljoen stuks hem al voorgegaan. **7 1958 AUSTIN HEALEY SPRITE** De auto werd in 1958 onthuld en was onmiddellijk een succes. Zijn 4-cylinder, 1048cc 42 pk motor stuwde de kleine auto voort met een snelheid van zo'n 130 km. De Sprite werd tot 1971 gebouwd en tegen die tijd was hij bijna niet meer van zijn tegenhanger, de MG Midget, te onderscheiden. **8 1965 AUSTIN HEALEY 3000 MARK THREE** De 3000, die van 1959 tot 1965 gemaakt werd, was de laatste van de Austin Healey-serie, die in 1955 startte. De 148 pk, 6-cylinder, 2912 cc motor bezorgde de auto een topsnelheid van 190 km per uur. De Bristol Automobile Company was een dochteronderneming van British Aeroplane. De eerste produktie-auto van Bristol, het Type 400 uit 1946, **(2)** was gebaseerd op het chassis van een BMW 328.

7

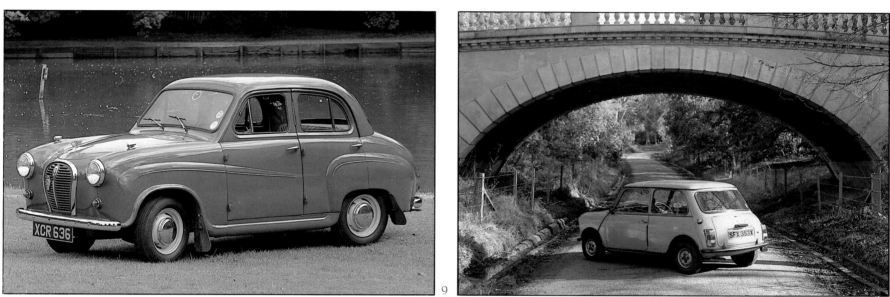

8

9

10

1

2

3

1 1954 BRISTOL 404 De constructie van vliegtuigkwaliteit maakte de 2-liter Bristol 404 tot een van de aantrekkelijkste sportwagens van zijn tijd. De lichte aluminium carrosserie, die op een chassis met een degelijke 96 inch wielbasis was geplaatst, was slechts een extra verfijning van het BMW ontwerp uit 1930. **3 1930 BUGATTI TYPE 41 ROYALE** Van de Royale die hier is afgebeeld, chassis 41 150, wordt aangenomen dat het de laatste is die gebouwd is. De dubbele cabriolet (of de double berline de voyage) werd in Bugatti's eigen carrosseriefabriek gebouwd. Voor zo'n auto zijn specificaties nietszeggend. De Bugatti Royale is misschien wel het toppunt op het gebied van droomauto's. **4 1932 BUGATTI TYPE 55 SUPER SPORTS** Als u zich geen Royale kunt permitteren, kunt u zich misschien met een type 55 tevredenstellen. Dit was afgeleid van Bugatti's race-auto's en werd aangedreven door een 2,3-liter Type 51 Grand Prix motor met aanjager en dubbele bovenliggende nokkenas die was opgehangen in een type 54 Grand Prix onderstel met een carrosserie van Figoniet Falaschi.

4

5

6

8

7

9

5 1912 BUICK ROADSTER David Dunbar Buick, van Schotse origine, bouwde de eerste Buick auto in 1903. Rond de tijd dat deze open sportwagen, met zijn slippende 3-versnellingsbak werd gemaakt, was Walter P. Chrysler directeur van de fabriek en werden er 25000 stuks per jaar verkocht. **6 1951 BUICK SUPER EIGHT** Deze werd aangedreven door een 263,3 kubieke inch, 8 in 1 lijnmotor van 120 pk. Deze was verkrijgbaar met een handgeschakelde 3-versnellingsbak, maar de meeste kopers kozen de automatische versie van Dynaflow. **7 1928 MCLAUGHLIN-BUICK** Deze toerwagen is door de McLaughlin Motor Car Company gemaakt, met versnellingsbakken van Buick en carrosserieën van McLaughlin. De auto vormt de helft van een duo zevenpersoons Master Six toerwagens met een lange wielbasis, diegebouwd werden voor de Prins van Wales tijdens een officieel bezoek aan Toronto. **8 1938 BUICK SPE-CIAL** De 107 pk sterke 'Dynaflash' motor van de Special uit '38 was in staat om de auto met meer dan 145 km per uur voort te stuwen. Dit voorbeeld heeft een op maat gemaakte, door Carlton ontworpen en door Albemarle uitgevoerde sportcarrosserie. **10 1930 BUICK SERIES 40 PHAETON** Er werden slechts 1100 van deze vierpersoons Phaetons gebouwd in 1930.

10

1 1930 4,5-liter 'BLOWER' BENTLEY Er werden slechts 50 van deze bruut ogende machines gebouwd. Toch zijn het waarschijnlijk de bekendste modellen die door dat merk gemaakt werden. De as waarmee men de turbo of aanjager aanslingert, steekt uit aan de voorkant van de auto als de boegspriet van een driemaster. De aangejaagde motor had een enkele bovenliggende nokkenas,

4 kleppen per cylinder en dubbele-magneetontsteking die de twee bougies liet vonken. In race-uitvoering ontwikkelde hij 240 pk en stuwde de zware auto naar snelheden ruim boven de 160 km per uur. **2 1928 BENTLEY 4,5 TOURER** De 4,5-liter toerwagen was tot snelheden in staat van 150 tot 160 km. Dit is een van de acht speciaal gebouwde modellen met korte wielbasis. **3 1926 BENT-**

LEY 3-LITER VANDEN PLAS Dit is waarschijnlijk de populairste van alle Bentley-modellen. De 3-liter zou tot 1929 in produktie blijven, toen er 1619 van verkocht waren.

4 & 5 TWEE 1935 BENTLEY'S 3,5 W.O. Bentley werd als iedere andere fabrikant van verfijnde (dure) automobielen, hard getroffen door het instorten van de markt in 1929. Hij raakte in 1933 de leiding kwijt over het bedrijf dat toen werd gekocht door Rolls-Royce. De eerste nieuwe, door Rolls-Royce gebouwde Bentley's, de 3,5, verschenen in 1933. De twee hier afgebeelde auto's zijn typische voorbeelden van de 3,5. **6 1936 BENTLEY 4,5 VANDEN PLAS CABRIOLET** In 1936 werd de 3,5-liter motor vervangen door de 25/30 4,5-liter Rolls-Royce. Dit model zou in produktie blijven tot de Tweede Wereldoorlog. **7 1930 BENTLEY 8-LITER SALOON W.O.** Bentley's laatste creatie was de magnifieke 8-liter. Met een topsnelheid van 170 km per uur was het een toonaangevende toerwagen, speciaal als deze was uitgerust met elegant koetswerk, zoals in dit voorbeeld van H.J. Mulliner.

4

5

6

7

1

2

3

4

5

1 1955 BENTLEY S-TYPE Het eerste jaar van het S-Type was 1955. De auto had een nieuw chassis, maar gebruikte de bestaande R-Type motor en deelde zijn standaard carrosserie met de Rolls-Royce Silver Cloud. **2 1951 BENTLEY MK VI** Met dezelfde motor als de naoorlogse Rolls-Royce Silver Wraith, was de MK VI een krachtige auto voor zijn relatief kleine afmetingen. Bij de introductie in 1946 noemde 'The Autocar' het 'een scherp sturend, heuvelvretend voertuig'. **3 1957 BENT-LEY CONTINENTAL S.1** Deze vervanger voor de populaire R-Type Continental was langer, breder en 250 kilo zwaarder. Hoewel nog steeds in staat om 190 km per uur te lopen, verloor de Continental het sportieve element. De meeste kopers kozen liever de versie met automatische versnelling. Het prachtige koetswerk van H.J. Mulliner logenstrafte de grotere afmetingen en het immer toenemende alledaagse karakter. **4 1959 BENTLEY CONTINENTAL S.1** Vergelijk dit voorbeeld eens met de Continental S.1 met de carrosserie van Mulliner.

6

Hetzelfde model, dezelfde technieken, een totaal andere auto. **5 1935 BENTLEY 3,5 SPORTS SALOON** Nog een versie van de eerste Rolls\Bentley zoals te zien op 29-4 en 29-5. **6 1935 BENTLEY CONTINENTAL S.** Deze Park-Ward cabriolet is nog een variatie op het Continental S.1 thema. Zoals bij alle S.1 modellen heeft de 4887cc, R-Type motor een verbeterd cylinderkopontwerp om hem op weg te helpen en een volledig hydraulisch remsysteem om hem te laten stoppen. **7, 8 & 9 BENTLEY TURBO R** De Turbo R en zijn voorganger, de Mulsanne Turbo, vertegenwoordigen een succesvolle en serieuze poging om Bentley's verloren sportieve imago te herwinnen. Deze wagens hebben een luxueus notehouten interieur en met Connolly-leer beklede stoelen. Verder hebben ze volledig onafhankelijke wielophanging, tandheugel met rondselbesturing en een motor die in staat is tot een topsnelheid van meer dan 225 km per uur. Hiermee behoren de twee Turbo Bentley's tot 's werelds snelste luxe toerwagens.

7

8

9

1

2

1 1973 BMW 3.0 csi COUPE De 3.0 csi is een verbeterde versie van de 2800 cs uit 1970 en heeft een 200 pk
Bosch injectiemotor die tot 220 km per uur kan gaan,
mits gekoppeld aan de Gertrag handgeschakelde versnellingsbak. De 3.0 csi werd in 1974 voor het laatst
geproduceerd. 2 1938 BMW 328 Toen hij op de markt
kwam in 1937, was de 328 voorbestemd om een gewilde klassieker te worden. Na de oorlog werden de ontwerpen van de 328 overgenomen door de Engelsen en
de motor werd in verschillende versies gebruikt door
Frazer Nash, Bristol, Cooper, Lister en AC. 3 1985 BMW
M535i Met zijn 3,4-liter, 6-cylinder met 4 kleppen per
cylinder motor die 286 pk levert, kan de M535i met 250
km per uur langs de autobahn scheuren. 4 1987 BMW
325i Tegelijk met de introductie van de 3-serie van BMW
raakte in 1987 een nieuw type katalitische omvormer in
zwang dat bij alle modellen een winst opleverde van
meer dan 45 pk. Bij de 325i laat zich dat vertalen in een
acceleratie van 0 tot 100 in 8 seconden en een topsnelheid van 210 km per uur. De cabrioletuitvoering blijkt de
meest populaire van de 325i's te zijn. 5 1987 BMW M-3

4

5

6

7

De M-3 is een officieel erkende special (dat betekent dat er een bepaald aantal gebouwd moet worden van dat model om als toerwagen aangemerkt te kunnen worden), specifiek een voor dat doel gebouwde racewagen waarmee je op de gewone weg kunt rijden, tenminste, als je er een te pakken kunt krijgen. De M-3 is een wolf in wolfskleren, met zijn 195 pk, twin-cam, 16 kleppen, 4-1 lijnmotor die is afgeleid van de BMW F1. **6 1986 BMW M-635csi** De auto's in de BMW M-6 serie zijn bedoeld om als luxe toerwagens te kunnen concurreren met de Mercedes 500 serie en de Jaguar XJS. **7 1988 BMW 750il** Een aluminium V-12, 60 graden gekanteld met enkelvoudige bovenliggende nokkenas stuwt de 1857 kg zware 750il moeiteloos van 0 naar 100 in 7,5 seconden en toert vervolgens langs de snelweg met 250 km per uur. **8 1985 BMW M-1** Er werden er slechts 439 van gemaakt. Van dat aantal waren er 400 personenauto's vanwege de toelatingseisen in de toerwagen klasse en 39 ervan waren racewagens. De M-1, die ontworpen werd door het bedrijf Ital Design van Giorgetto Giugaro, verscheen voor het eerst in 1976.

8

1

2

3

1 1949 BUICK ROADMASTER SEDANET Alleen aan de vier spuigaten in het spatbord kan men zien dat het hier om een Roadmaster gaat (Supers hebben er slechts drie). **2 1963 BUICK RIVIERA** Toen de Buick Riviera in 1949 zijn debuut maakte, had hij een verbeterde vormgeving: een metalen dak zonder vensterstijlen. **3 1954 BUICK SUPER CONVERTIBLE** Dat klopt, drie spuigaten. Achter deze spuigaten bevond zich een 170 pk V-8 motor, de stuwende kracht achter deze auto, die qua vormgeving veel te danken had aan de fameuze Skylark uit 1953. **4 1955 BUICK CENTURY CABRIOLET** In 1955 voerde Buick het vermogen van de 322ci Century op naar 236 pk. Weer is de 'look' afkomstig van de Skylark. **5 1953 BUICK SKYLARK** Het gouden jubileum van Buick viel in 1953 en om die gelegenheid te vieren, introduceerden zij de beperkte serie, van $ 5000, Skylark V-8 Convertible. Er werden er slechts 1690 gemaakt en ze zijn erg gewild bij verzamelaars. **6 1989 BUICK REATTA** Een 165 pk, 3,8-liter V-6 motor gekoppeld aan onafhankelijke ophanging voor alle wielen en computergestuurde anti-blokkerende schijfremmen maken van deze Reatta een echte concurrent in de categorie luxe sportwagens.

4

1 **1913 CADILLAC MODEL 30 TOURER** De eerste Model 30 verscheen in 1909 en bleef in produktie tot in 1914. Het was de eerste Amerikaanse auto die als standaard-uitrusting een gesloten carrosserie had, de beroemde 'carrosserie van Fischer'. **2 1959 CADILLAC COUPE DE VILLE** Het jaar 1959 kan men zich het best herinneren vanwege het feit dat de staartvinnen toen hun hoogste punt bereikten (of diepste punt, afhankelijk van uw standpunt). De 390ci Coupe de Ville had als extra mogelijkheden: luchtvering, cruise control, Glidematic koplampen met variabele lichtbundel, centrale deurvergrendeling, E-Z Eye getint glas en een radio met automatische tiptoetsafstelling met twee luidsprekers en elektrische antenne. De staartvinnen waren gratis. **3 1932 CADILLAC 355B** Het vermogen van de Cadillac 352ci V-8 motor werd geschat op 115 pk en was gekoppeld aan een drie keer zo stille, gesynchroniseerde 3-versnellingsbak en kon 120 km bereiken. Dit was het laatste jaar dat Cadillac de koper een keuze uit motorkapversieringen aanbood. **4 1931 CADILLAC 355** Deze V-8 aangedreven auto's hadden een soortgelijke carrosserie die men aantreft bij de V-12 die de Indianapolis 500 reed in 1931. **1956 CADILLAC ELDORADO** Hoewel deze 365

5

kubieke inch, 305 pk Eldorado nauwelijks een auto met grote prestaties genoemd mocht worden, kwam hij toch aardig weg voor zijn omvang en gewicht. Hij slaagde erin om van 0 tot 100 onder de 11 seconden te blijven. De Eldorado was een van de creaties van Harley Earl, gebaseerd op de XP-8, XP-9 en XP-300 showauto's. De eerste produktie-Eldorado verscheen in 1953. **7 1957 CADILLAC ELDORADO BROUGHHAM** Voor 1957 bood Eldorado een gemoderniseerd motorenpakket: 320 pk, dubbele 4-kamer carburateurs, speciaal inlaatspruitstuk en een compressieverhouding van 10:1. Aan zijn uiterlijk is te zien dat de ontwerpers beïnvloed zijn door de Bristol 404 en de Alfa Romeo B.A.T. Bekleding was beschikbaar in standaardleer of het meer exotische Cape Buffalo. De prijs hiervoor? **8 1959 CADILLAC CONVERTIBLE** Twee van de 138527 Cadillacs die in 1959 geproduceerd werden, staan hier in het zonnetje. **9 1962 CADILLAC FLEETWOOD 75 LIMOUSINE** De bijna 6,5 meter lange limousine 75 was op een speciaal chassis gebouwd en woog meer dan 2500 kilo.

6

7

8

9

1

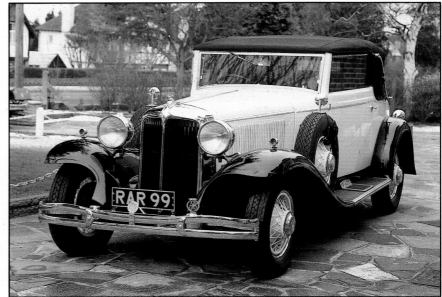

2

3

1 1932 CHRYSLER IMPERIAL CH SEDAN De V-8 motor van de Imperial die een inhoud had van 384,8 kubieke inch, ontwikkelde 125 pk, reed van 0 tot 100 in 20 seconden en had een topsnelheid van 155 km. Dat jaar maakte Chrysler twee aparte series van de Imperial, de CL en de CH. De laatste had een 27 cm kortere wielbasis. **2 1931 CHRYSLER CD CONVERTIBLE COUPE LEBARON** De CD bood de klanten van Chrysler hun eerste kennismaking met een V-8 motor. In mei van dat jaar werd de status van de CD-serie opgevijzeld naar Deluxe, met een iets krachtiger motor (88 pk) en dezelfde zwierige gescheiden ramen die men bij de CD Imperials kon bewonderen. **3 CHRYSLER 77 ROADSTER uit 1930** De sportieve Roadster 77, die aangedreven werd door een 6-1 lijnmotor van 93 pk, compleet met achterbankje (kattebak), had een 4-versnellingsbak en een nieuw door 'Futura' ontworpen dashbord. **4 1933 CHRYSLER CUSTOM IMPERIAL CL** Dit voorbeeld, een Phaeton met twee achter elkaar geplaatste compartimenten, elk voorzien van een eigen voorruit van Lebaron, is een van de slechts elf auto's die dat jaar geproduceerd werden, en hij wordt algemeen beschouwd als de mooiste auto uit die periode.

4

5

6

7

8

5 1957 CHRYSLER 300C Op het moment van introductie in 1954, was de 300C groot en beestachtig snel. Hij moest wel groot zijn om het vermogen van de beroemde 331 kubieke inch Hemi-motor, die heerste op de NAS-CAR circuits, aan te kunnen. Hij moest ook snel zijn, omdat de aanduiding '300' tevens aangaf hoeveel paardekrachten er onder de motorkap huisden. Rond 1957 was de Hemi, die alles wat er in zijn buurt kwam had verslonden, gegroeid tot 392 kubieke inch en leverde hij 375 pk. De topsnelheid lag nu rond de 215 km per uur.
6 1941 CHRYSLER NEW YORKER CONVERTIBLE COUPE De New Yorker serieauto's stonden een treetje lager dan de topmodellen, de Imperials. Ze waren uitgerust met 'Spitfire' 8-cylinder motoren en vloeistofkoppeling.
7 1946 CHRYSLER NEW YORKER CLUB COUPE De grote betrokkenheid van Chrysler bij de oorlogsproduktie betekende dat de eerste naoorlogse modellen 1942-ontwerpen waren. **8 1960 CHRYSLER 300F** Een 431 kubieke inch V-8 die 275 pk leverde was niet slecht, maar het was geen Hemi.

1

2

3

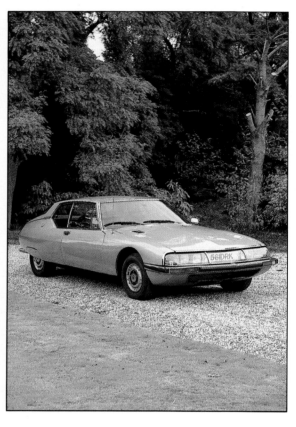

4

1 1922 CITROEN C3 CLOVERLEAF De Citroens van het type C waren kleine, 856 kubieke inch, 11 pk voertuigen die windje mee, heuveltje af 65 km liepen. Hoewel gewaardeerd door verzamelaars waren de Type C's niet bestemd voor de eeuwigheid. De laatste werd in 1926 geproduceerd. **2 1959 CITROEN 2CV** Ongeveer twintig jaar na het ter ziele gaan van het kleine Type C, verscheen er een andere Citroen die een nieuwe betekenis aan het begrip Kleine Auto gaf: de 2CV. Al meer dan veertig jaar gaan ze hun eigen weg met het aanbieden van goedkoop, betrouwbaar vervoer aan miljoenen bestuurders over de hele wereld. **3 1937 CITROEN 7CV TOURER** De Traction Avant (oftewel voorwielaandrijving) was het laatste ontwerp van André Citroen. **4 1975 CITROEN SM** Geïntroduceerd in 1970, was de SM (Super Maserati) een afgeleide, met uitstekende presta-ties, van de revolutionaire Citroen DS (Desiree Special). Als een van de eerste auto's die ontworpen werd met behulp van een windtunnel, mag het geen verbazing wekken dat hij een ongelooflijk lage luchtweerstands-coëfficiënt heeft (0,25). **5 1938 CITROEN TYPE 11 DICH-TE VIERDEURS** Nog een versie van de Traction Avant. Deze werd gebouwd bij de Britse fabriek in Slough.

5

6

7

8

6 1936 CORD 810 WESTCHESTER SEDAN De auto die later de hooggeprezen voorwielaangedreven Cord 810 zou worden, begon zijn leven als een achterwielaangedreven, 8 in 1 lijnmotor, genaamd de 'baby' Duesenberg. Tegen de tijd dat er daadwerkelijk een prototype was gebouwd, had E.L. Cord op zijn bekende eigen wijze alles veranderd tot het hem zinde: op en top een machine. **7 1937 CORD 812 CONVERTIBLE** De Lycoming aangejaagde V-8 leverde 190 pk en had een topsnelheid van 175 km per uur. Ab Jenkins vestigde een aantal snelheidsrecords op Indianapolis en Bonneville in een sedan 812. De auto had een versnellingsbak met voorkeuzemogelijkheid, een zelfdragende constructie, onafhankelijke voorwielophanging en natuurlijk, een aanjager. In twee produktiejaren werden er 2320 stuks gemaakt van de 810 en 812. Kennelijk was dat niet genoeg, want tegenwoordig verdienen er mensen geld met het verkopen van nagemaakte polyester Cords.
8 & 9 1930 en 1937 CORD L-29 Het lage, stijlvolle uiterlijk van de L-29 is gedeeltelijk te danken aan de beslissing van E.L. om een voorwielaangedreven ontwerp te gebruiken, overgenomen van een Miller Indy racewagen. Een tevreden klant, Frank Lloyd Wright, heeft een L-29 dertig jaar in zijn bezit gehad. Hij zei dat hij zo goed bij zijn huizen 'stond'.

9

1 1958 CHEVROLET IMPALA Volgens Chevrolets recla-memakers was de Impala uit 1958 begiftigd met een 'gebeeldhouwde schoonheid' dat een nieuw tijdperk in vormgeving inluidde. Hoe dan ook, het moet gewerkt hebben. Er werden 60.000 Impala's met 250 pk V-8 motoren verkocht. **2 1969 CORVETTE STINGRAY** De tweede generatie van de Sting Ray werd in 1968 geïntroduceerd, hoewel zonder het Sting Ray-naamplaatje. Hij was in wezen niet veranderd voor 1969, maar de naam Stingray kwam terug (als één woord). **3 1963 CORVETTE STING RAY** De eerste Sting Ray was een direct succes bij het publiek en de autojournalisten. **4 1978 CORVETTE INDY PACE CAR REPLICA** In het jaar van de 25e verjaardag van Corvette, 1978, werd de auto uitverkoren als startwagen in de 62e editie van de Indianapolis 500. De auto kreeg als opdruk 'beperkte oplage' mee, maar in werkelijkheid werden er 6200 gemaakt, een voor elke Chevy-dealer in het land. De klanten stonden in de rij om ze te kunnen kopen voor prijzen die zo'n $ 10.000 hoger lagen dan het prijs-kaartje van $ 13653.

1

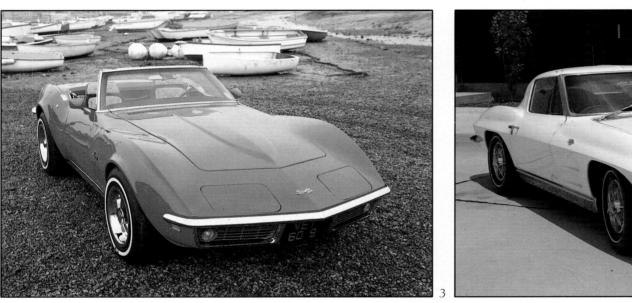

2

3

4

5

1 1957 CHEVROLET BEL AIR De fameuze 238 kubieke inch, V-8 met naar keuze brandstofinspuiting werd in 1957 geïntroduceerd. Dit was de eerste Amerikaanse auto die per kubieke inch 1 paardekracht leverde. In feite was de Rolls-Royce V-8 uit 1960 gebaseerd op een Chevy-blok. **6 & 7 1961 CORVETTE** Technisch was deze Corvette in wezen hetzelfde als het voorgaande model, met uitzondering van de nieuwere, lichtere radiator. Qua uiterlijk was het ontwerp voor de nieuwe achterkant overgenomen van de XP-700 showauto. **8 1958 CHEVROLET DEL RAY** Alle Chevrolets uit 1958 hadden het nieuwe X-type frame en waren iets langer dan de voorgaande modellen. De Del Ray-middenklasser werd aangedreven door een standaard 145 pk 6 in 1 lijnmotor of een 185 pk 238 kubieke inch V-8.

6

7

8

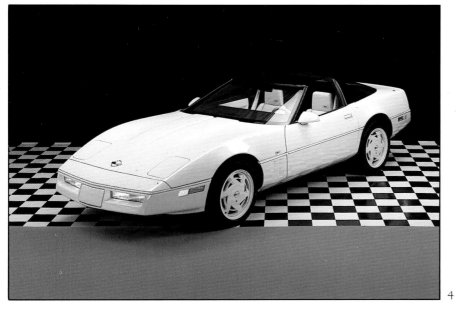

3

4

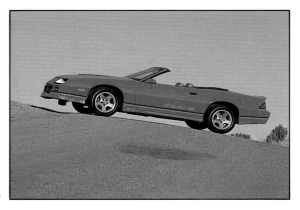

6

5

7

1 1987 GREENWOOD CORVETTE Door de jaren heen
heeft een aantal 'custom'-specialisten hun stempel
gedrukt op de Corvette. De bekendste zijn Reeves
Callaway en de twee die hier zijn vertegenwoordigd:
Greenwood en Eckler **(2 1981 CORVETTE). 3 1988
CORVETTE JUBILEUM EDITIE** Deze werd gebouwd ter ere
van het 35e produktiejaar.**4 1981 CORVETTE STINGRAY.
5 1973 CORVETTE COUPE** Het jaar 1973 was het jaar
van de Amerikaanse maximumsnelheid van 55 mijl (90
km) per uur. De Corvette van dit jaar was iets langzamer
dan zijn voorganger, maar hij kon de kwart mijl, zo'n
400 meter, in ongeveer 15 seconden afleggen. **6 1985
CHEVROLET CAMARO IROC-Z** De IROC, International
Race of the Champions, is een race waarbij verschillende
coureurs uit verschillende onderdelen van de autoren-
sport elkaar bestrijden in identieke Chevrolet Camaro's.
7 1981 CHEVROLET CAMARO Z-28 De standaardmotor
was de 350 kubieke inch V-8, maar die werd alleen
geleverd met automatische versnelling. Om het prestatie-
aspect installeerde Chevy gratis een 350 kubieke inch
met een handgeschakelde 4-versnellingsbak. **8 1987
CORVETTE COUPE** Deze Corvettes van de huidige generatie zijn gulden voor gulden de beste aankoop op deze
riskante, prestatiegerichte automarkt.

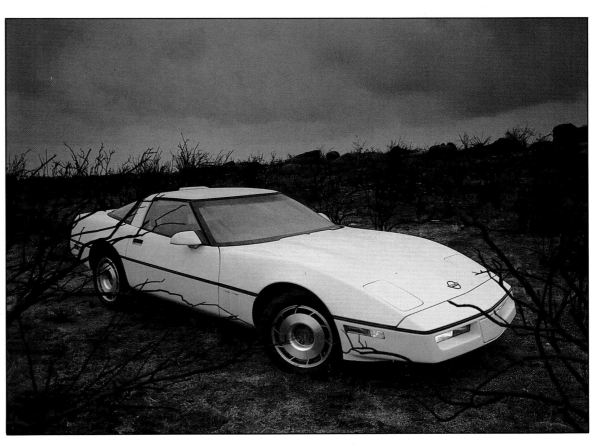

8

1 1974 DE TOMASO PANTERA De auto werd in 1969/70 ontworpen door Tom Tjaarda voor Alejandro De Tomaso en is nog steeds in produktie. De eerste Pantera was een slanke, gestileerde schoonheid met de motor voor de achteras en een uitstekende wegligging. In 1970 kwamen De Tomaso en Lee Iacocca (toentertijd bij Ford) tot een overeenkomst en in 1971 stonden er Pantera's te grommen in de showrooms van de Amerikaanse Lincoln-Mercury dealers. De auto was een succes, maar dat gold beslist niet voor de betrekkingen tussen Iacocca en De Tomaso. In 1974 namen zij afscheid van elkaar en er waren tot in het begin van de jaren tachtig geen VS-special Pantera's beschikbaar. Daaropvolgende modellen zoals de **'78 (2)** en **'83 GT5 (3)** hielden de andere exotische auto's op het gebied van prestaties bij. **4 1982 DELOREAN** Het laatste hoofdstuk in de geschiedenis van DeLorean wordt nog steeds geschreven in de verschillende Britse en Amerikaanse gerechtshoven maar de auto, de DeLorean DMC-12, bestaat niet meer. Met z'n interessante uiterlijk had hij op technisch gebied niets nieuws te bieden. Als prestatieauto liet hij een hoop te wensen over, aangezien hij er makkelijk uitgereden werd door vele concurrenten, met inbegrip van de Corvette, de Porsche 944 en de Mazda RX-7. **5 1934 DODGE CONVERTIBLE** Voor het bouwjaar 1934 had Dodge een nieuwe 217 kubieke inch 6-cylinder motor en een 'wielen op drijvende kussens'-vering. Dodge en Chrysler deelden dat jaar chassis en carrosserieën en toen de radicale stroomlijn verdween, waren het de Chryslers met een Dodge-carrosserie die een totale ramp voorkwamen. **6 1971 DODGE CHARGER R/T** De eerste Chargers verschenen in 1966 op het toneel en werden bijna meteen zeer populaire 'muscle cars' in Amerika. De modellen uit '71, zoals deze R/T, vertonen nieuwe carrosserieën. Het topmodel R/T was verkrijgbaar met

de standaard Hemi of de 440 kubieke inch V-8. **7 1959 DODGE CUSTOM ROYALE** De Custom Royale was de beste Dodge die men voor zijn geld kon krijgen. Meer dan 21.000 mensen kochten hem. Met zijn 345 pk V-8 met brandstofinspuiting was de Royale een koopje in vergelijking met de prijs: ongeveer $ 3.000. **8 1970 DODGE SUPERBEE** Met zijn remmen voor zwaar werk, 3-vloerversnellingen en grote ijzeren V-8, was de Superbee direct gericht op de jonge mannelijke weg-racer. Dit voorbeeld is in het 'Hemi-oranje' gespoten en heeft een Charger Daytona-vleugel hoog boven het kofferdeksel.

5

6

7

8

1-6 **DUESENBERG MODEL J** Het Duesenberg Model J was de enige Amerikaanse auto van zijn tijd die (zeker) gelijkwaardig was aan, of (waarschijnlijk) beter dan elke andere ter wereld. Na de introductie op 1 december 1928 werden er 480 J-modellen gebouwd, voordat de Maharadja van Indore de laatste kocht in 1935. Wat maakte deze auto's zo fantastisch? Alles. Ze hadden een indrukwekkende, 1,20 m lange, 8 in 1 lijn, 32 kleppen-motor met kettingaangedreven bovenliggende nokkenassen en aluminium zuigerstangen en zuigers, die 265 pk bij 4250 toeren per minuut produceerden. Reusachtige vacuüm bekrachtigde remmen met een doorsnee van 38 cm. Een revolutionair smeringssysteem dat automatisch het onderstel na elke 120 kilometer smeerde, enz. enz... Het J-model kon vanuit stilstand binnen 21 seconden 160 km per uur bereiken en daarna in de buurt van de 185 km per uur komen. Afgebeeld zijn hier het toermo-del uit 1930 (**1**), een cabriolet coupé uit 1929 (**2**) en een uit 1930 met een Rollston carrosserie (**3**). De vierde (**4**) is een aangejaagde SJ Roadster uit 1933 met een carros-serie van Walton. Was de 'J' snel, de 'SJ' was verschrik-kelijk snel: 165 km in zijn tweede, 225 km in zijn hoog-ste versnelling. En dat met een auto waarvan het chassis alleen al meer dan 2 ton woog. Er werden naar schat-ting 36 SJ's gebouwd tussen mei 1932 en oktober 1935. Van deze Duesenberg SJ Speedster (**5**) wordt beweerd dat hij van Clark Gable is geweest. Nou, als deze niet van hem is geweest, dan had hij hem waarschijnlijk graag willen hebben. De andere Duesenberg (**6**) is een Phaeton met twee zitplaatsen achter elkaar uit 1933 van LeBaron.

1

2

3

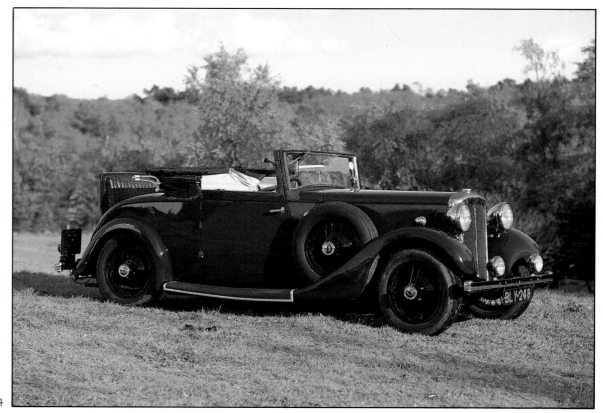

4

5

1 1924 DELAGE CO BOATTAIL VAN LABOURDETTE Opgericht in 1904 door Louis Delage, breidde de firma zich snel uit en tegen 1912 werden er 1000 auto's per jaar verkocht. Vele beroemde carrosseriebouwers voerden hun beste werk uit op het chassis van Delage. Dit voorbeeld heeft op maat gemaakt koetswerk van Henri Labourdette. Het is een Phaeton met een carrosserie waarin men achter elkaar zat, net als bij de andere Labourdette carrosserieën van die tijd. **2 1911 DELAGE TYPE X** Delage type X won de prestigieuze Coupe de L'Auto in Bologne. **5 1938 DELAGE D8** De D8, uit 1938, met een carrosserie van Le Tourneur et Marchand, was een van de mooiste auto's van die periode. Maar de Delage werd niet langer gemaakt door Delage. Een ommekeer in het zakelijke klimaat zorgde ervoor dat het bedrijf overging naar Delahaye, die de naam in stand hield tot in het begin van de jaren '50. **3 1897 DAIMLER WAGONETTE** Het eerste jaar van produktie voor Daimler uit Coventry was 1897. Met een 2-cylinder motor die 4 hele paardekrachten ontwikkelde, reed een van deze auto's van Schotland naar Lands End (1485 km) met een gemiddelde snelheid van bijna 15 km per uur. **4 1934 DAIMLER 15 DROPHEAD COUPE** Deze auto is typerend voor de Daimler collectie in het midden van de jaren '30. Aangedreven door een 6-cylinder, 1,8-liter, werd hij gebouwd om te beantwoorden aan de stijgende vraag

6

7

naar kleinere en lichtere auto's. **6 1909 DELAUNAY-BEL-
LEVILLE MODEL 1A-6** Delaunay-Belleville was een van de
autobouwers in het Frankrijk van voor de Eerste Wereldoorlog. Hoewel het bedrijf na de oorlog zijn populariteit
niet kon herwinnen, bleef het tot 1950 auto's produceren. **7-9 DELAHAYE** Hoewel Delahaye in 1894 met het
maken van auto's begon, duurde het tot de jaren '30
voordat ze de auto's begonnen te bouwen waar we nu
de naam mee associëren. In 1934 vestigde het nieuw op
de markt gebrachte Type 135 een aantal wereldsnel-
heidsrecords in het Montlhéry Autodrome. Tot de Tweede
Wereldoorlog waren de Delahayes, zoals deze Convertible Coupé uit '38 (**7**), gehuld in carrosserieën ontworpen door een groot deel van de Europese topcarrosserie-
bouwers. De eerste auto's van na de oorlog bleven de
vooroorlogse 6-cylinder, 160 pk motor van het type '135
en het chassis gebruiken. Dit is een mooi exemplaar met
koetswerk van Vanden Plas (**8**). De laatste Delahaye,
type 235, had een verbeterde 135 motor en was weder-
om voorzien van elegant koetswerk door Philippe
Charbonneaux (**9**).

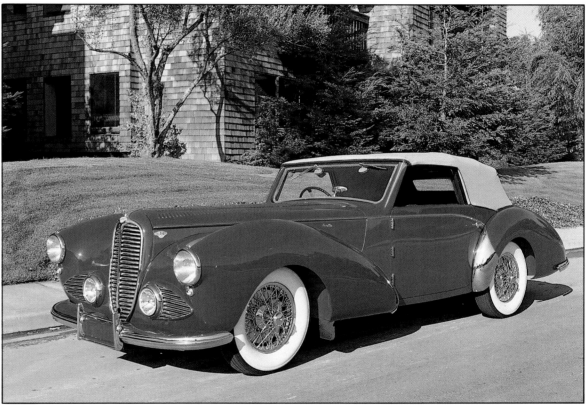

8

9

1

2

3

4

1, 2, 3 & 4 EXCALIBER De beroemde industriële ontwerper Brooks Stevens onderhield een levenslange liefdesrelatie met de klassieke Mercedes SSK Roadstar uit de jaren '20. In 1964 richtte hij de Excaliber Company op om de moderne versies van zijn droomauto te gaan maken in Milwaukee, Wisconsin. De eerste auto's, zoals de serie 3 uit 1976 (**2 & 3**), gebruikte onderdelen van 250 toeleveringsbedrijven, waaronder General Motors, die de Chrevrolet Corvette motoren leverde. Tussen 1975 en 1979 werden er 1842 stuks van de serie 3 gebouwd. De serie 4 uit 1981 (**1**) en de huidige serie 5 (**4**) maken gebruik van GM overbrenging en loopwerk, GM V-8 motoren van 5,7 liter met brandstof-inspuiting en iets wat tamelijk ongebruikelijk is voor een fabrikant van specialiteitswagens: een garantie die de eigenaar in staat stelt zijn auto te laten onderhouden door GM. Deze handgebouwde machines zijn ontwikkeld uit het evenbeeld van de eerste SSK tot auto's met een unieke stijl. Wat u ook van hun 'look' mag vinden, de Excaliber is een van de weinige successen in de recente autogeschiedenis.

5

6

5 1957 FERRARI 500 MONDIALE De 500 Mondiale sportwagen werd rond de door Aurelio Lampredi ontworpen 4-cylinder Formule 2 motor gebouwd, die Alberto Ascari naar het Wereldkampioenschap in 1952 en '53 stuwde. **6 1947 FERRARI 166** In 1947 verscheen de eerste Ferrari, de Tipo 125, natuurlijk aangedreven door een V-12. Hij zou zijn eerste race niet uitrijden, maar won wel de tweede. Deze wagen werd opgevolgd door de Tipo 166 (166 cc per cylinder), een tweezits Spyder Corsa, voorzien van motorfietsspatborden. Na het winnen van zijn eerste race werd hij aan een rijke sportman verkocht en werd zo de eerste Ferrari die ooit verkocht werd. **7 1950 FERRARI 212 MILLE MIGLIA** Deze auto is een typisch voorbeeld van de Ferrari's uit het begin van de jaren '50. De Superleggera (vederlichte) carrosserie van Carrozzeria Touring werd gemaakt van aluminium en met de hand gevormd op een houten mal. Daarna werd de carrosserie gemonteerd op het stalen buizenframe van de auto door de randen van de carrosseriepanelen om de buizen te vouwen. **8 1952 FERRARI 340 MEXICO** Er werden drie Berlinetta Mexico's gebouwd om in 1952 mee te doen in de Carrera Panamericana-race in Mexico.

7

8

1 1965 FERRARI 275 GTS Deze auto met Pininfarina-carrosserie werd in 1965 op de markt gebracht en was afgeleid van de 330 GT 2+2. Hij had de reputatie enigszins onvoorspelbaar te zijn bij nat weer. **2 1966 FERRARI DINO 206S** De 24-jarige zoon van Enzo Ferrari, Dino, stierf in 1956. Ter nagedachtenis aan hem werd de Dino ontworpen. In 1965 won de Dino, de 260 SP, de European Hillclimb Championship. **3 1964 FERRARI 330 GT 2+2** Dit Pininfarina-ontwerp, dat gebouwd was op een verlengd chassis van een type 250, kreeg zoveel kritiek op zijn vier koplampen dat die in 1965 weg werden gelaten. **4 1956 FERRARI 410 SUPERAMERICA** De 410 was Ferrari's poging om een segment te veroveren op de Amerikaanse markt van luxe prestatie-auto's. **5 1964 FERRARI 250 LM** Deze auto was ontworpen om de GTO te vervangen in de GT raceklasse. **6 1968 FERRARI 275 GTB/4** Dit was de eerste V-12 Ferrari met 4-nokkenas die niet specifiek gebouwd was om mee te racen (hoezo, met 300 pk bij 8000 toeren en een top van 265 km per uur?).

1

2

3

4

1 1965 FERRARI 330 GT 2+2 De 330 GT 2+2, die in 1964 werd geïntroduceerd, bleef in produktie tot 1968. **2 FERRARI DINO 246 GT** De 246 GT, die is gebaseerd op de Dino 206 GT ontworpen door Pininfarina, had een grotere 2,4 liter motor. Dit model werd in 1973 vervangen door de Spyder 246 GTS van het type Targa, dat werd geproduceerd tot en met 1974. **3 1978 FERRARI 308 GTS** Dit was de eerste Ferrari ontworpen door Pininfarina met een verstevigde polyester carrosserie. Het was ook een van de eerste auto's die in de nieuwe windtunnel van de ontwerper getest werd. **4 1967 FERRARI 275 GTB/4** Er werden er slechts 350 gemaakt die tegenwoordig erg gewild zijn; ze leveren meer dan een miljoen dollar per auto op. **5 1967 FERRARI 330 P4** Als u dacht dat de 275 GTB/4 duur was, dan hebt u het goed mis. Er bestaan slechts drie van deze 4 liter V-12 auto's en u moet ten minste negen miljoen dollar meebrengen om er een in uw garage te mogen zetten. De P4 carrosserie, gemaakt door Cigario, was een verfijning van de P3 uit 1966. Deze auto won de 24-uursrace van Daytona en werd derde op Le Mans. **6 1965 FERRARI 330 TG 2+2** Nog een 330 GT 2+2 met die #*!! koplampen. **7 1973 FERRARI 365 GTB/4 DAYTONA** De door Pininfarina ontworpen V-12 Daytona uit 1968 werd tot 1974 gemaakt en wordt door velen als de laatste 'echte' Ferrari beschouwd. **PAGINA 58-59: 1987 FERRARI TESTAROSSA.**

1 1978 FERRARI BERLINETTA BOXER De eerste Berlinetta Boxer, de 4,4 liter 365 GT/BB verscheen in 1973. Hij werd in 1976 vervangen door de 4,9 liter 512 BB.
2 1970 FERRARI 512 M In de jaren '69-'70 werden er 25 van deze racewagens gebouwd. Elk werd aangedreven door een 4993 cc, 550 pk V-12. **3 1981 FERRARI 400** Een Ferrari met automatische versnelling? Dit was de ideale auto voor mensen die wel een Ferrari, maar ook weer geen Ferrari wilden hebben. De 400 die in 1976 op de markt kwam, werd in 1985 uit produktie genomen. **4 1985 FERRARI TESTAROSSA** Het kost hem minder tijd om van 0 naar 100 te te accelereren dan het u kostte om dit bijschrift te lezen. **5 FERRARI TESTAROSSA CONVERTIBLE** U beweert dat Ferrari geen convertibles maakt? U hebt gelijk. Wat wilt u voor $ 142.000? Gespecialiseerde bedrijven halen het dak er wel voor u af. U hoeft er alleen maar $ 25000 bij te passen.
6 1973 FERRARI DINO Een mooi voorbeeld van de Dino Spyder van het type Targa. **PAGINA 62-63: 1985 FERRARI GTO**

1

2

3

4

5

6

1 **1985 FERRARI TESTAROSSA** Een ander aanzicht van de aerodynamische vormgeving van de Testarossa's uit 1985. De 5-liter aluminium motor met 12 liggende cylinders, 48 kleppen en 4-nokkenas levert 300 pk en verplaatst u over uw levenspad met een snelheid van 290 km per uur. **2 1985 FERRARI 288 GTO** De letters GTO zijn magisch voor alle Ferraristi. De eerste GTO, de 250, werd in 1962 geïntroduceerd. De 'O' in GTO staat voor 'omologato', de vereiste standaardserie om in de serieklasse te mogen racen (zie ook de BMW M3). De nieuwe GTO 2888 verscheen in 1984. Stop een 393 pk, twinturbo 2x4 V-8 met dubbele nokkenas in een 1160 kg zware auto. Het resultaat: van 0 naar 100 in 5 seconden en een topsnelheid van 300 km per uur. Er werden er slechts 272 gebouwd voordat men in 1986 met de produktie stopte. **3 EEN ORIGINELE FERRARI 512 BB UIT HET BOUWJAAR '81. 4** 'Heilige spoilers, B.A.T.-man, een gevleugelde **BOXER**. **5** Nog een **TESTAROSSA**. Dit is er een uit '87. **PAGINA 66-67: FERRARI F40 1988** De F40 werd gebouwd ter gelegenheid van Ferrari's veertigste verjaardag. Zelfs als hij stilstaat lijkt hij nog snel, en dat is hij: 320 km per uur. *Forza!*

1

2

3

4

5

1 1951 FORD CRESTLINER Slechts enkele plaatwerkmo-
dificaties onderscheidden deze auto van het model uit
1950. Tegen een meerprijs van $ 159 was hij wel lever-
baar met de nieuwe Ford-O-Matic 2-versnellingsbak.
2 1969 FORD SHELBY MUSTANG GT-350 De Shelby
Mustangs, ontworpen door voormalig Le Mans-winnaar
Carroll Shelby, waren ontwikkeld voor S.C.C.A-races
(jazeker, er bestond een vereiste standaardserie). In '65,
'66 en '67 werden zij overwinnaar in hun klasse en ze
wonnen de Trans-AM titel in '66 en '67. Omstreeks
1969 hield Shelby zich niet langer bezig met deze auto's
en de Mustang neigde meer naar een Ford dan naar een
Shelby. Vanzelfsprekend nam de verkoop af en in 1970
werd de auto uit produktie genomen. **3 FORD MODEL
A PHAETON. 4 1930 MODEL A ROADSTER** Het model A
werd geproduceerd onder de supervisie van de zoon
van Henry Ford, Edsel, en ging in november 1927 in
produktie. De 3,4 liter, 4-cylinder motor leverde 40 pk en
een topsnelheid van 110 km per uur. Binnen twee jaar
waren er meer dan 2 miljoen verkocht en tegen de tijd
dat hij in 1931 uit produktie werd genomen, bedroeg de
totale verkoop meer dan 5 miljoen stuks. **5 1969 FORD
MUSTANG PLAYBOY SPECIAL** Dit speciale model was
nota bene uitgerust met een kattebak.

6 1969 MUSTANG MACH 1 De achterste luchtinlaten waren nep, maar dit gold zeker niet voor de 250 pk V-8 van 351 kubieke inch. **7 1968 FORD SHELBY MUSTANG GT 500 KR** Deze vervanger van de GT 500 had een 400 pk V-8 motor van 428 kubieke inch om zijn naam 'King of the Road' te behouden. **8 FORD SKYLINER** Eindelijk, een auto met metalen dak dat werkelijk kon worden teruggeklapt. Ford introduceerde dit opmerkelijke voertuig in 1957. Het werkte probleemloos, maar de verkoop was schrikbarend laag en dus werd de produktie aan het eind van 1959 gestaakt. **9 1959 FORD THUNDERBIRD** De T-Bird uit dit jaar had een face-lift ondergaan en was groter dan zijn voorgangers. Maar was hij ook beter? De meesten vinden van niet. De enige optie van formaat was een Paxton centrifugaal-turbo met speciale cylinderkoppen die het vermogen opkrikten naar 340 pk bij 5300 toeren. Het verkoopsucces van het standaard model uit '57 betekende dat de toekomstige T-Birds in omvang konden blijven toenemen, terwijl hun prestaties achteruit liepen.

6

7

8

9

1 1978 FORD MUSTANG KING COBRA Van deze ruige 302 kubieke inch V-8 creaties, door velen de ultieme Mustang genoemd, werden er slechts 500 gebouwd.
2 FORD MUSTANG 'SPORTS ROOF' Op de tweede plaats, achter de Mach I, was de 'Sports Roof' verkrijgbaar met een krachtige 351 kubieke inch, 335 pk 4x2 V-8. **3 1970 FORD MUSTANG BOSS 302** Nog een serieklasse special. De Boss 302 was bedoeld als concurrent voor de Camaro Z-28 in de Trans-AM races. Hij had een speciale 300 pk V-8 met extra vermogen, uitgerust met een Holley 4-kamercarburator en speciale zuigerstangen die de auto in 14,09 seconden de 400 meter af liet leggen. **4 1971 FORD MUSTANG MACH I** De uiterlijk vernieuwde Mach I was verkrijgbaar met een 429 kubieke inch, 400 pk V-8. **5 1973 FORD MUSTANG CONVERTIBLE** Er werd gefluisterd dat de Convertible na 1973 niet meer gemaakt zou worden. Daardoor verdubbelde de verkoop. Hij is de laatste 'grote' Mustang en bezig een gewild verzamelobject te worden.

1

2

3

4

5

6 1988 FORD RS 200 De RS was in 1983 ontworpen door de beroemde vormgever Tony Southgate en in wezen een verkapte Sierra. **7 1987 FORD MUSTANG GT** Met zijn voorin geplaatste motor en achterwielaandrijving was dit een oud ontwerp, gehuld in een nieuw, uitgekiend jasje. Maar de 5 liter V-8 scheurt behoorlijk als je hem op z'n staart trapt. **8 1987 FORD THUNDERBIRD TURBO** De prestatie-auto waar de oude T-Bird liefhebber al sinds 1955 van droomde, verscheen uiteindelijk in 1987 in de gedaante van een 5 liter V-8 Turbo met bovenliggende nokkenas. Het SVO keuzepakket, dat eerder alleen verkrijgbaar was bij de Mustang, is nu uitsluitend voorbehouden aan de T-Bird en maakt er een toerwagen van wereldklasse van. **9 1987 FORD SIERRA RS 500 COSWORTH** De RS 500 verslaat iedereen, zowel op als buiten het circuit. Aangedreven door een door Cosworth ontworpen motorblok van een aluminium legering, met dubbele nokkenas en 16 kleppen, evenals een Garrett-AirResearch aanjager, stimuleert de RS 500 uw rijplezier.

6

7

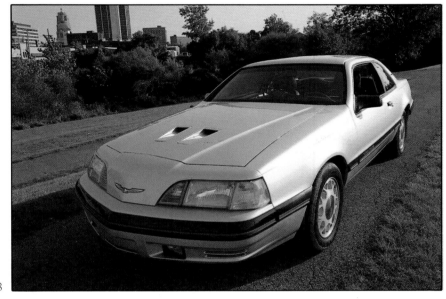

8

9

1 1913 FIAT TIPO ZERO De Tipo Zero die in 1912 werd gelanceerd, was de eerste Fiat die aan de lopende band werd vervaardigd. Deze auto van 1846 cc weerspiegelde de filosofie van Fiat dat de autoproduktie niet alleen gericht was op de sportieve modellen voor de bevoorrechte racefanaten, maar op populaire, degelijke en betaalbare gebruiksvoertuigen. **2 1935 FIAT BALLILA** De Tipo 508 Ballila kwam op de markt in 1932 en kreeg de naam van een fascistische jeugdorganisatie. Hij had een 4-cylinder motor van 995 cc met bovenliggende nokkenas, die 25 pk ontwikkelde in de toerversie en 36 pk in de zeldzame, maar erg aantrekkelijke, race-uitvoering.
3 1904 FIAT TOURER Fiat, oftewel Fabbrica Italiana Automobili Torino, werd gevestigd in Turijn in 1899 en was een samenwerkingsverband van een groep uitzonderlijk getalenteerde ingenieurs, technici en carrosseriebouwers. **4 1967 FIAT DINO** Als gevolg van een raar toeval presenteerden zowel Fiat als Ferrari een nieuwe Dino op de autoshow van Turijn in 1966. De Fiat Dino had een voorin geplaatste 2 liter V-6 motor van 160 pk en achterwielaandrijving.

5

6

7

5 FRAZER-NASH TT REPLICA De TT (of Tourist Trophy) replica had, zoals alle Frazer-Nash modellen, een over-brenging door middel van meerdere kettingen in plaats van een conventionele versnellingsbak. De aan de bui-tenzijde gemonteerde versnellingspook bediende de klauwkoppeling op een contra-as om de motorkracht over te brengen op het gewenste tandwielpaar. Dit werk-te goed genoeg om de auto's races te laten winnen.
6 1905 FRANKLIN De Franklin was nogal ongewoon omdat hij niet water- maar luchtgekoeld was, wat gedu-rende zijn gehele bestaan (1902-1934) zo zou blijven. Franklin zou een van de weinige voorstanders van lucht-koeling blijven. **7 1927 FRAZER-NASH** Nog een lid van de aan de ketting gelegde auto's. De laatste van deze ketting-aangedreven auto's werd in 1939 geproduceerd. Het bedrijf ging op de fles in 1960. **8 1948 FRAZER** Deze werd aangedreven door een 3703 cc 'supersoni-sche' 6-cylinder en had 'torsinetrische' ophanging. Wat dat ook was, het was niet voldoende en rond 1952 was de Frazer verdwenen.

8

1 HCS (1921) Harry Clayton Stutz (HCS) kan nog het best worden geassocieerd met zijn Stutz Blackhawks en Bearcats die hij in de jaren 1910 tot '20 bouwde. Nadat hij de Stutz Company had verkocht, begon hij in 1920 met de produktie van een andere wagen, de HCS. De HCS was een doeltreffende auto maar moest zijn meerdere erkennen in de Stutz-auto's, en in 1923 werd de produktie dan ook gestopt. **2 1941 GRAHAM HOLLY-WOOD** In 1928 waren de gebroeders Graham begonnen met het produceren van wagens onder de naam van Graham-Paige. **(4)** is een goed voorbeeld van dit merk. Bij zijn introductie in 1933 werd de Custom Eight aangeprezen als 'de meest geïmiteerde wagen'. In 1937 ging men ook zelf wat aan imitatie doen en kocht van curatoren van de failliete Auburn Company de mallen van de Cord-fabriek, en ontwierp vervolgens een nieuwe, op de Cord gebaseerde auto, de Graham Hollywood. Deze werd geïntroduceerd in 1940 en was uitgerust met een 140 pk motor en een zelfdragende carrosserie. De auto werd goed ontvangen, maar zowel problemen bij de produktie als geldgebrek brachten het bedrijf in minder dan twee jaar aan de afgrond.

5

6

7

8

5 HEALEY TICKFORD De tweedeurs, 4 liter, vierpersoons dichte sportwagen met een Tickford-carrosserie is een van de meest geslaagde produktiereeksen geweest van alle Healey-modellen. De eerste exemplaren werden op een 'C' chassis gebouwd en in 1951 werden de 'BT' en de 'F' typen geïntroduceerd. Bij elkaar werden er 241 gebouwd. **6 1952 HENRY J** De Henry J, vernoemd naar zijn bouwer Henry J Kaiser, was een van de eerste kleine Amerikaanse auto's, ook verkrijgbaar onder de naam Allstate. Na een aanvankelijk succes nam de verkoop af en tegen het einde van 1954 werden beide auto's uit produktie genomen. **7 1935 HILLMAN MINX** William Hillman stond voornamelijk bekend als producent van betrouwbare doch oninteressante auto's. De Minx van 118 cc die in 1932 werd geïntroduceerd was de beroemdste van dit merk. De Aero Minx (**9**), een 'sportievere' uitgave, werd in 1933 aan de modellenreeks toegevoegd. Hillman staakte de produktie in 1976. **8 1947 HEALEY ELLIOT** Deze sedan en zijn tegenhanger, de Westland convertible, werden gebouwd door Donald Healey en onderscheidden zich niet van andere auto's. Hij was ook verantwoordelijk voor de Nash-Healey en de Austin-Healey en verbeterde daarmee zijn reputatie.

9

1-6 HISPANO-SUIZA Deze auto's, ontworpen door de Zwitser Marc Birkigt en vervaardigd in Barcelona en Parijs, behoren tot de populairste auto's ter wereld. De modellen van voor de Eerste Wereldoorlog waren vernieuwend en snel. Tussen 1910 en 1915 wonnen ze vele races. Auto's die voor 1919 werden gemaakt (**3**), werden naar de tweede plaats verdrongen door de produktie van vliegtuigmotoren voor de geallieerden. Aan het eind van de oorlog begon men met de produktie van de H-6. Deze opmerkelijke auto, die tot 1931 in produktie bleef, had een 140 kilo zware nokkenas die gedraaid was uit een massief blok staal van 320 kg. Dit model uit 1924 (**5**), gekenmerkt door zijn carrosserie van tulpeboomhout, is een van de bekendste modellen uit de reeks. De H-6 werd vervangen door het Type 68, de beroemdste van alle Hispano-Suiza's. Deze 68bis Convertible uit 1934 (**4**) had een Sauotchik carrosserie, een 11 liter V-12 motor en kon 175 km per uur halen. Ook zijn hier twee andere V-12's afgebeeld: een 68bis Cabriolet van Van Vooren uit 1933 (**2**) en een Cabriolet uit 1938 (**6**). De K-6 uit 1936 (**1**) had een 6 in 1 lijnmotor van 5184 cc. Hispano-Suiza staakte de produktie in 1939. **PAGINA 78-79: HISPANO-SUIZA H-6B BOATTAIL**

1

2

4

3

5

6

1 1911 HUPMOBILE MODEL 20 RUNABOUT Er werd in 1909 met de produktie van Model 20 begonnen en die zou slechts twee jaar duren. Deze auto, gespoten in de kleur 'Hupmobile blauw', is een van de vier modellen die in dat jaar werden gebouwd. De Hupmobiles bleven in produktie tot 1940. **2, 6 & 8 HUDSON** De Terraplane werd als een van de best verkopende auto's van de jaren '30 beschouwd. Dit model uit 1937 (**2**) was een van de laatste Terraplanes, omdat Hudson besloot om de model-naam te laten vervallen. De Commodore Eight (**8**) uit 1950 had een nieuw verlaagd chassis en als krachtbron de oude vertrouwde Hudson 8 in 1 lijnmotor. De Hudson Hornet (**6**) verscheen in 1951 en had een 145 pk, 6-cylindermotor met L-koppen en een inhoud van 308 kubieke inch. Hij werd NASCAR kampioen in '52 en '53. **3 1932 HORCH V-12** Gebouwd door August Horch, waren deze luxueuze toerwagens uitgerust met 6021 cc, 120 pk V-12 motoren en ZF transmissies.
4 1904 HUMBERETTE De Humberette had een 1-cylinder motor van 5 pk en een buizenchassis. **5 1950 HOTCH-KISS** Deze werd winnaar van de eerste naoorlogse rally van Monte Carlo in 1949. **7 1930 ISOTTA FRASCHINI TIPO 8A** Na de Eerste Wereldoorlog begon Isotta Fraschini grote, luxe toerwagens te bouwen zoals deze Phaeton met een carrosserie van Castanga.

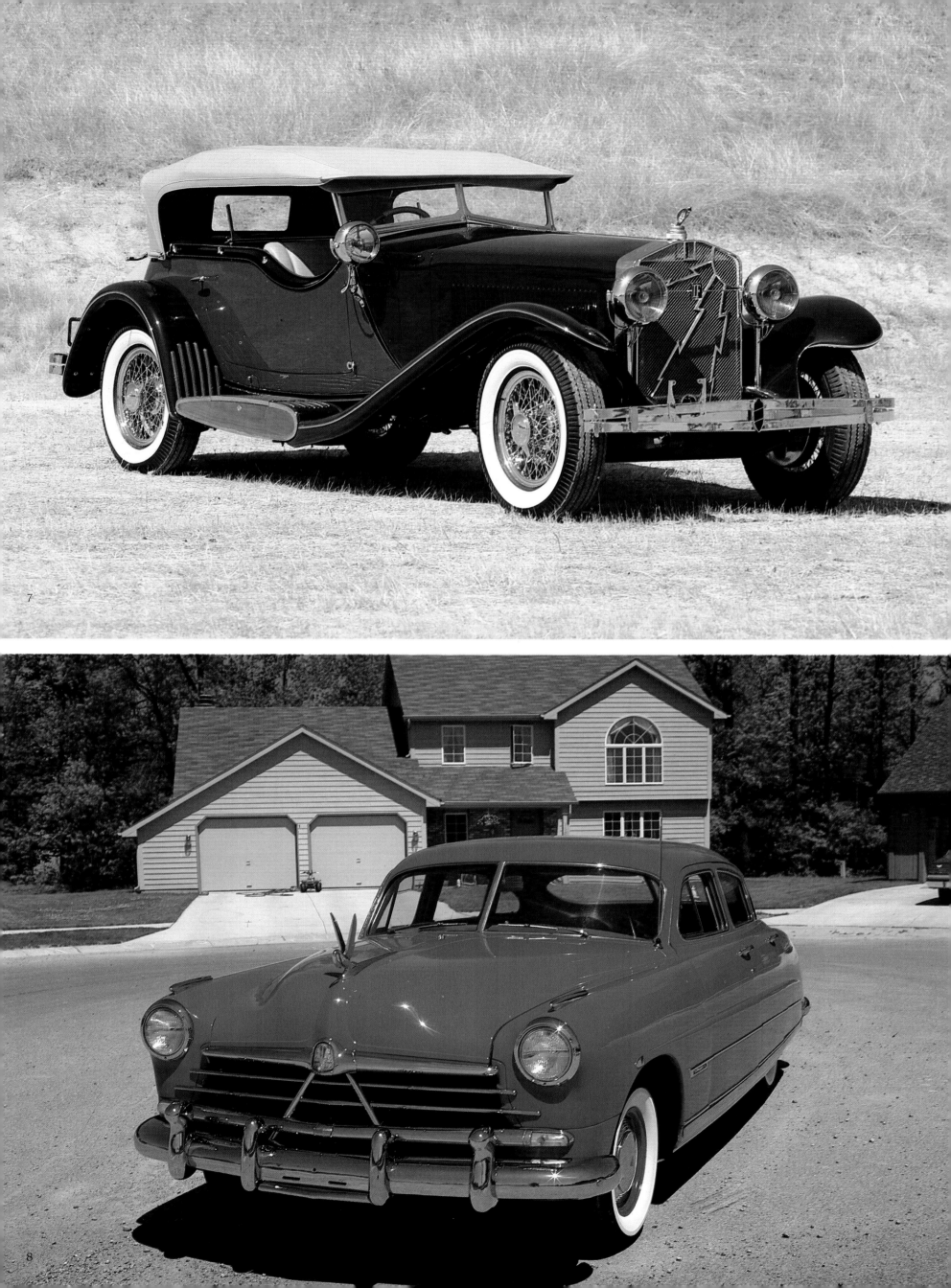

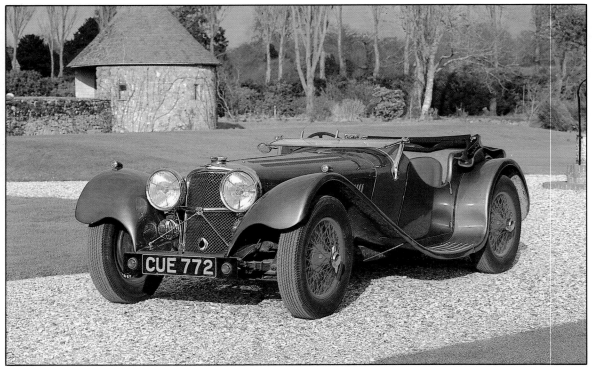

JAGUAR William Lyons, oprichter van de Jaguar fabriek, begon onder de naam Swallow met de fabricage van speciale carrosserieën. Hij zou nog tientallen jaren de firma blijven leiden en verschillende veranderingen in accent en vormgeving doorvoeren. De basisgedachte 'Gratie, Snelheid en Ruimte' bleef het credo van deze buitengewone ingenieur. De populariteit van de Swallow SS (Standard Saloon)-reeks spoorde Lyon aan deze gehele auto onder een nieuwe naam te bouwen: Jaguar. Het ongelukkige feit dat de Swallow SS dezelfde initialen had als Hitlers elitecorps, hielp op zijn beurt ook mee aan de acceptatie van de nieuwe naam Jaguar bij het naoorlogse Britse publiek. De 2,5 liter SS 100 met bovenliggende kleppen (100 stond voor de topsnelheid in mijlen) bleef in produktie tot 1939. (1 & 2) De eerste naoorlogse auto's, zoals deze Saloon uit 1946 (3), vormden slechts een aanzet tot een van de opwindendste sportwagens aller tijden: de **XK 120 (4)**. Geïntroduceerd in 1948 was hij uitgerust met de eerste echte Jaguar-motor. Deze 6-cylinder lijnmotor van 160 pk liet de auto met 190 km per uur voortrazen. Zijn opvolger, de **XK 140 (5)** was handelbaarder en had een 210 pk motor. Hij zou tot en met 1956 in produktie blijven.

6

7

8

6 JAGUAR SS DROPHEAD (1937) Deze 1,5-liter Jaguar had een nieuwe-stijl radiator tussen twee buitensporig grote Lucas-koplampen. **(7) 1958 JAGUAR MK IX** De Mark 9 had een nieuwe 3,8 liter XK krachtbron, 4 schijf-remmen en reed 180 km per uur. **8 1954 JAGUAR XK 140. 9 1959 JAGUAR XK 150** De XK 140 werd in 1957 verbeterd en kreeg een nieuwe aanduiding, XK 150. Hij was groter, zwaarder, krachtiger en comfortabeler dan zijn voorgangers. Veel puristen beweren dat de toename in omvang en comfort de verbazingwekkend elegante lij-nen van de originele 120 verstoorde, die na zijn intro-ductie in de naoorlogse wereld, die meer gewend was geraakt aan kaalheid en rantsoenering dan aan de uit-gesproken glans en snelheid van de nieuwe reeks Jaguars, de harten van het autominnende publiek had veroverd.

9

1-6 E-TYPE De E-Type, in 1961 op de markt gebracht, was ongeëvenaard in de combinatie van stijl en presta- ties. Hij is uitgevoerd als een zelfdragende constructie met onafhankelijke achterwielophanging, spaakwielen, schijfremmen en een 3,8 liter motor die deze ranke, glanzende kat van 0 naar 100 voert in 6,8 seconden, met een top van 240 km per uur. **(3)** De open versie was net zo mooi. Waarschijnlijk de belangrijkste verandering aan het E-Type was de toevoeging van een V-12 in 1971. De 5343 cc motor met dubbele nokkenas ontwik- kelde 325 pk en zou de krachtbron van het E-Type blij- ven tot aan het eind van de produktie in 1975. **(2)** De XJ-6, in 1968 geïntroduceerd, is een toerwagen voor grote prestaties, in staat tot snelheden boven de 190 km per uur. In 1972 kreeg hij een V-12 motor ingebouwd. **(6)** De XJS verving het 2+2 E-Type in 1975 en als echte GT uitvoering bereikte de XJS een eerlijke 250 km per uur. Hij is nog steeds in produktie en heeft zich door de jaren heen tot het huidige model ontwikkeld. **(5)** Dit is het gouden-jubileummodel uit 1985, de XJS HE met een car- rosserie van Guy Salmon. **PAGINA 86-87: JAGUAR E-TYPE**

1

2

3

4

1

2

3

4

5

1, 2 & 4 1987 JAGUAR XJ-SC Dit type wordt aangedreven door een V-12 motor van 12 liter die bij een toerental van 5000 maar liefst 262 pk levert. Door speciale cylinderkoppen en andere verbeteringen, bedacht door de Zwitser Michael May, koppelt deze motor een zuinig brandstofverbruik aan een compressieverhouding van 11:1. **3** Deze Sovereign uit 1988 is de meest recente versie van deze luxe sedan, geproduceerd door Daimler, het zusterbedrijf van Jaguar. **5 1963 JENSEN MARK III C-V8** Deze firma, opgericht door de gebroeders Jensen in 1936, werd bekend door zijn snelle, stijlvolle GT wagens. De C-V8 uit 1963 was voorzien van een Chrysler V-8 motor van 5,9 liter met een automatische 'Torque Flight' cardantransmissie. **6 & 7 JENSEN INTERCEPTOR** De Interceptor, geïntroduceerd in 1968, was het laatste model dat gefabriceerd werd onder de firmanaam van Jensen. Deze wagen woog maar liefst 2 ton, was uitgerust met een nog grotere Chrysler V-8 motor van 6,3 liter en kon een maximumsnelheid halen van rond de 240 km per uur.

6

7

1

2

1 1984 KVA FORD GT-40 REPLICA Deze auto was een van de ontzagwekkendste wagens die ooit langsscheurden op het rechte eind van Mulsanne. Van de honderd die er gebouwd zijn, waren er ongeveer dertig bedoeld voor op de gewone snelweg. Drie maal werd Le Mans gewonnen door een GT-40: in 1966, '67 en '68.

2-6 LAGONDA Voordat het Speed Model met laag chassis en motor van 2 liter in 1932 op de markt kwam, had Lagonda er al 26 jaar ervaring als fabrikant op zitten. (2) Het Stadsmodel uit 1937, de LG 45. (3) Dit is één voorbeeld van de vele LG 45 typen die werden gebouwd bij Lagonda, nadat het bedrijf in andere handen gekomen was. Deze wagens waren luxeuze toerwagens die sneller konden dan 170 km per uur. De 135 pk motor van 4,5 liter, zoals ingebouwd in de Rapide (5), vormde, met enige tussentijdse verbeteringen, de krachtbron van alle LG 45 modellen. Dit exemplaar (6) is een wegracer voor twee tot vier personen en werd speciaal door Gurney Nutting gebouwd in opdracht van de Maharadja van Indore in India.

3

4

5

6

1

1-5 LAMBORGHINI COUNTACH Dit is de ultieme droommachine van deze tijd, door de meesten gezien als de Koning onder de superwagens. Het is nauwelijks te geloven dat de Countach zijn eerste opwachting maakte tijdens de autoshow in Geneve in 1971. Er zijn natuurlijk in de loop der jaren enige kleine wijzigingen doorgevoerd, maar in essentie verschilt het eerste type uit Genève niet van de huidige typen. In beide gevallen niet slecht dus. **PAGINA 94-95: NOG EEN COUNTACH**

2

3

1

2

3

4

5

6

7

1 **1965 LAMBORGHINI 350 GT** Dit is de eerste produk-
tieversie van de Lamborghini. De carrosserie werd
gemaakt door Carrozzeria Touring en de wagen was
voorzien van een motor van 270 pk met 4 nokkenassen,
in staat om een topsnelheid van rond de 240 km per uur
te halen. **2 1975 COUNTACH 3 & 4 LAMBORGHINI SIL-
HOUETTE** Door zijn afneembare dak werd de Silhouette,
die was afgeleid van de Urraco, de eerste 'open'
Lamborghini. Zijn V-12 motor was goed voor 255 pk en
de wegligging was grandioos. Tussen 1976 en 1979
werden er slechts 52 gemaakt. **5 & 7 LAMBORGHINI
JALPA** Zoals uit de foto al blijkt, vormt de Jalpa het ver-
volg op de Silhouette. De Jalpa debuteerde in 1982 en
wordt nog steeds geproduceerd. Zijn 3,5 liter, 255 pk
V-8 motor is goed voor een topsnelheid van meer dan
240 km per uur. **6 & 8 1988 COUNTACH** In 1988 vierde
Lamborghini het 25-jarig bestaan. De motor van deze
Countach, een Quattrovalvole V-12 (**6**) is een monster-
blok van 5,2 liter en 455 pk dat z'n plafond pas bereikt
bij een snelheid van zo'n 280 km per uur, en daarbij
nog steeds voldoet aan de Amerikaanse normen voor
warmteafvoer. **8** De PL 500

8

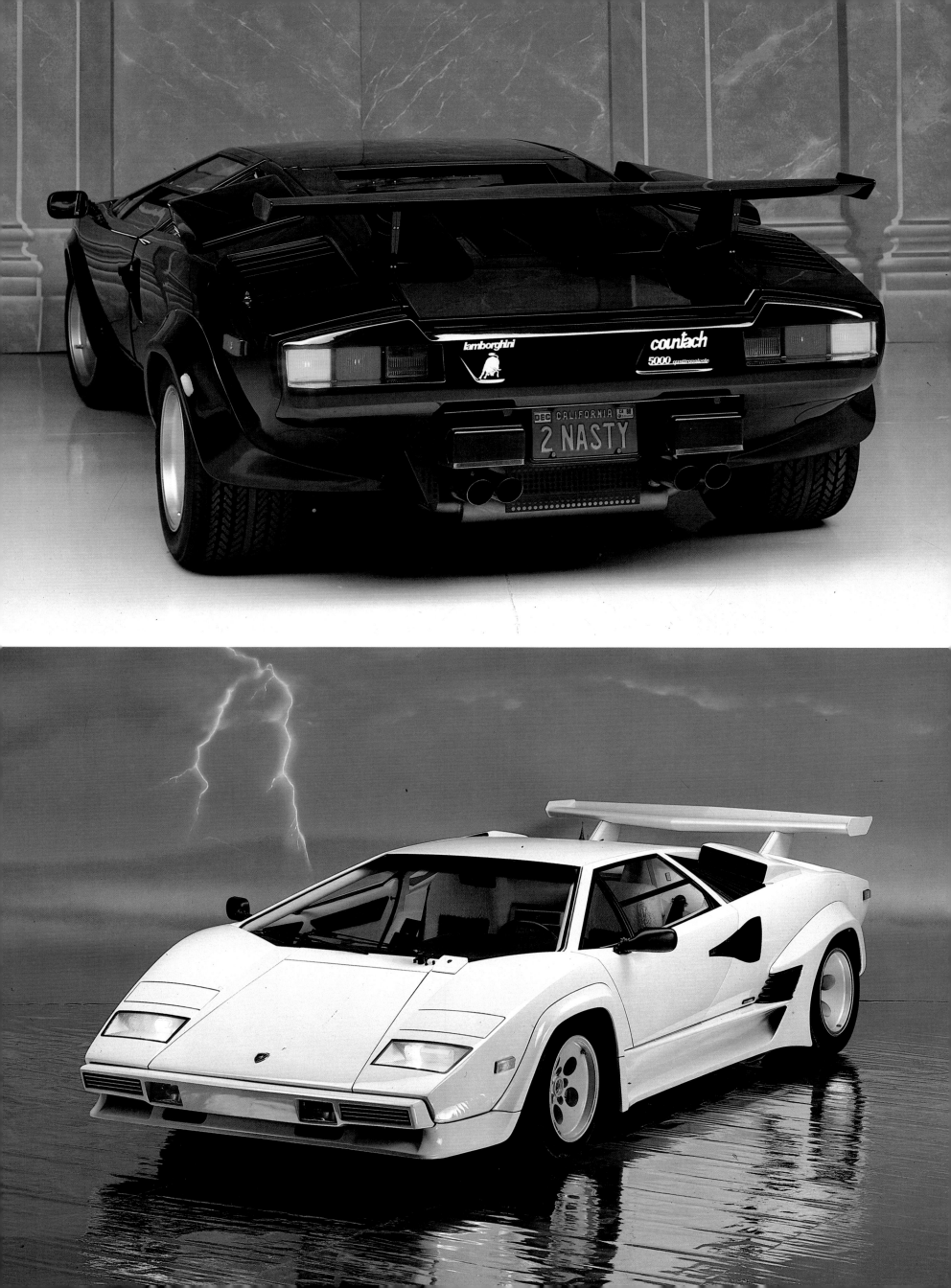

3

4

5

6

7

1 1929 LINCOLN MODEL L DUAL COWL PHAETON
Veertig van deze modellen werden er geproduceerd in
1929. **2 1957 LINCOLN PREMIER** De Premier uit '57
was gelijk aan het model uit '56 dat door de Industrial
Designers Institute werd onderscheiden door het briljante
ontwerp. **3-7 LINCOLN CONTINENTAL** De eerste
Continental, die als een eenmalig ontwerp speciaal was
gebouwd voor Edsel Ford, werd in die tijd gezien als de
mooiste auto ooit gemaakt. De daaropvolgende produktiemodellen uit 1940 en '41 (**3, 6**) tonen aan waarom
het op de opvallende Lincoln Zephyr gebaseerde ontwerp van Eugene Gregorie favoriet werd bij de Amerikaanse koper. De oorlog zorgde ervoor dat de produktie in 1942 werd gestaakt en voor 1946 niet meer hervat
zou worden. Aan het eind van bouwjaar '48 werd dit
model, hoewel nog steeds gewild, niet meer geproduceerd. **5** De Continental werd in 1956 opnieuw geïntroduceerd, nu als de Mark II. **3** De Mark V, hoewel luxueus, was nog lang geen klassieker. Maar de huidige versies zijn toonaangevende toerwagens van topkwaliteit,
zoals door deze Mark VII wordt geïllustreerd (**7**).

1 1971 LOTUS EUROPA Deze kleine wagen met middelgrote motor werd aangedreven door een standaard 4-cylinder motor van 1470 cc, of door een verbeterde 1558 cc motor van 126 pk met dubbele bovenliggende nokkenas, zoals ook gebruikt in de Elan Sprint. **2 1962 LOTUS ELITE** Tussen 1958 en 1967 werden er 1030 Elites gefabriceerd. Deze 'omgeturnde' racewagen voor op de gewone weg werd verkocht met een verlies van ongeveer honderd procent per wagen. **3 1973 LOTUS ELAN +2 S130** De +2 versie werd geïntroduceerd in 1967 en was voorzien van een 5-versnellingsbak en een Sprint-motor van 126 pk. **4 1989 LOTUS EXCEL** De 2+2 Excel is in staat om in 7,2 seconden naar 100 km per uur te accelereren en een topsnelheid te halen van rond de 230 km per uur. **5 1989 LOTUS ESPRIT TURBO** De Esprit werd geïntroduceerd in 1975 en werd in 1983 opgewaardeerd door een turbo-aanjager. Ten slotte werd in 1988 de vormgeving enigszins aangepast. Bij deze auto draait het helemaal om prestaties: van 0 tot 100 in 5,2 seconden en een topsnelheid van 250 km per uur.

1

2

3

4

1

2

3

4

1 1931 MARMON 141 CONVERTIBLE SEDAN De Marmons, ontworpen en gebouwd door Herman Marmon van 1902 tot 1933, waren groot, snel en prachtig gebouwd. De modellen waren uitgerust met gewone 8-cylinder motoren, V-8 motoren en, zoals bij model 141, V-16 motoren. **2 1949 MASERATI COUPE** Net als Alfa Romeo en Ferrari teert Maserati op een erfenis uit de racerij die al dateert van de jaren '30. In de naoorlogse tijd reden grootheden uit de racewereld, zoals Fangio, Moss en Behra voor de Maserati-stal. De Maserati toerwagens, hoewel klein in aantal, waren erg mooi, zoals u ziet. **3-5 1980 MASERATI MERAK SS** De Merak was een kleinere versie van de Bora en werd aangedreven door een V-6 motor die ontworpen was voor de Citroen SM. De Merak maakte ook gebruik van de geraffineerde vering van de SM. De SS, echter, was lichter en had een krachtiger motor van 220 pk. **6 1987 MAZDA RX-7 TURBO** Als de enige succesvolle constructeur van auto's met rotatiemotoren kan Mazda worden gezien als een van de origineelste fabrikanten.

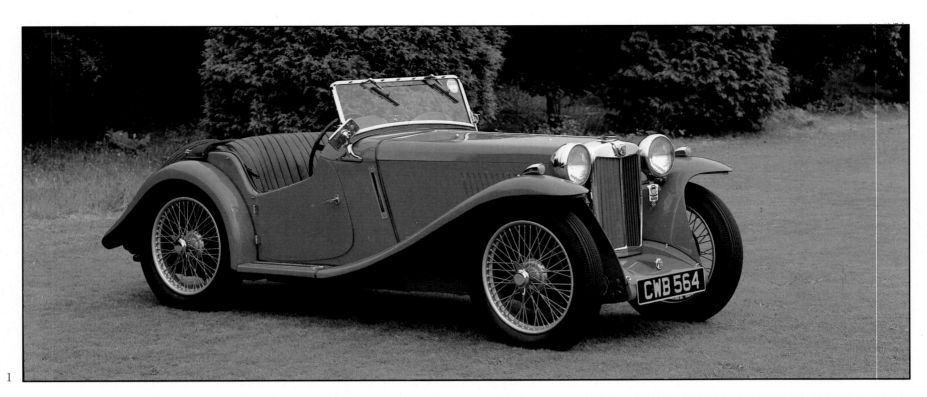

1

2

3

4

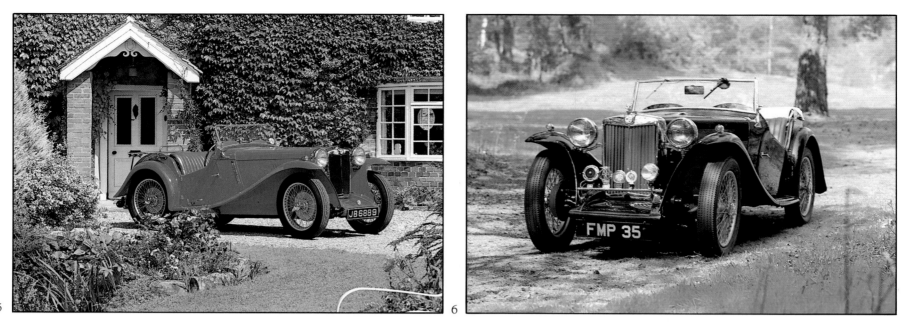

5

6

8

9

7

MG (Morris Garages) verscheen in 1923 of '24. De volgende 25 jaar werd een groot aantal modellen geproduceerd met even verwarrende namen als Mercedes verzon. Hier een handvol MG's uit het midden van de jaren '30. De eerste moderne MG was de 1932 J2 Midget, de vader van alle MG's tot in de jaren '50 (4). De 1934 N Magnette, 1286 cc, 6-cylinder, was licht en gemakkelijk te bedienen, vooral op smalle, bochtige weggetjes. De onsterfelijke Tazio Nuvolari won in 1933 de Tourist Trophy in een K-3 Magnette. De 1935 PA (5) had een 750 cc motor; de 1936 PB serie bood met 939 cc en 43 pk al een tikje meer (1, 2 & 8). De elegantere VA's uit 1938 (3) en 1937 (7) beschikten over 1548 cc. Tickford was verantwoordelijk voor de 1936 SA Coupé, waaraan te zien was dat door een wisseling in de leiding het accent meer op gezinsauto's en minder op racen kwam te liggen (10). De 1937 Midget TA (6) kreeg een groter chassis, waardoor de inzittenden meer ruimte hadden. Zijn 50 pk's maakten hem even snel als de kleinere modellen.

10

2 **1938 MG WA** In augustus 1938 werd de coupé met neerklapbaar dak en een Tickford-carrosserie toegevoegd aan de MG collectie, groter en krachtiger dan eerdere modellen. De wagen werd verbeterd in 1939, maar door de oorlog werden er geen nieuwe MG's gebouwd tot 1945. **1 &7 MG TC** De TC mag er dan hebben uitgezien als een wagen uit de jaren '30, compleet met dezelfde prestaties, deze wagen trok de aandacht van de jonge, naoorlogse generatie. Hij had een 1250 cc, 4-cylinder motor met stoterstangen die borg stond voor twee dingen: 54 pk, en wat nog belangrijker was, veel plezier. De TC en zijn nakomelingen, de TD en de TF (**8**), zorgden er met de Jaguar XK 120 voor dat 'sportwagen' een begrip werd in de VS. Deze tijd van de klassiekers kwam ten einde toen de MG A werd geïntroduceerd, die tot 1962 in produktie zou blijven. **6** Een 1622 cc MK2 wegracer. In de late jaren '60 maakte het A type plaats voor het B type (**5**) dat tot 1980 in produktie zou blijven en de best verkochte MG zou worden. **4** Het 6-cylinder Model C dat werd gemaakt van 1967 tot 1969, leverde 145 pk en had een topsnelheid van 190 km per uur. **3** De MG Midget uit 1980 werd aangedreven door een Triumph Spitfire-motor van 1500 cc. Maar liefst 225.000 verkochte exemplaren konden niet verhinderen dat de fabriek sloot in 1980.

1 1907 METALLURGIQUE De Metallurgique werd gemaakt in België van 1898 tot 1927, en had een chassis van geperst staal. Een 10 liter motor was standaard in 1927. **2 1948 MORGAN 4/4** Nadat ze begonnen met de fabricage van de eerste driewielers in het begin van 1900, waren de Morgans altijd hun eigen weg gegaan. De Plus Four en zijn afgeleide, de Plus Eight, worden nog steeds mondjesmaat gefabriceerd en tonen nog steeds een paar van de ontwerpkenmerken van de modellen van voor de Tweede Wereldoorlog. Een leuke wagen, de Morgan. **3 1922 MERCER** De Mercer-fabriek hield het maar 15 jaar uit en vestigde een aantal benijdenswaardige records op de circuits in de VS, die vooral toegeschreven moeten worden aan de coureur Barney Oldfield. **4 1929 MOON** Gefabriceerd door de in Schotland geboren Joseph Moon, zijn deze auto's direct te herkennen aan de imitatie Rolls-Royce-grilles. Dit model, de Prince of Windsor, werd aangedreven door een 8-cylinder lijnmotor van 4,4 liter. **5 1950 MERCURY MONARCH CUSTOM** Een prachtig voorbeeld van een aangepaste jaren '50 slee. Een 'verknipte' daklijn en een gemodelleerde carrosserie maken deze auto tot een unieke droommachine. **6 1940 MERCURY 8** De Mercury 1

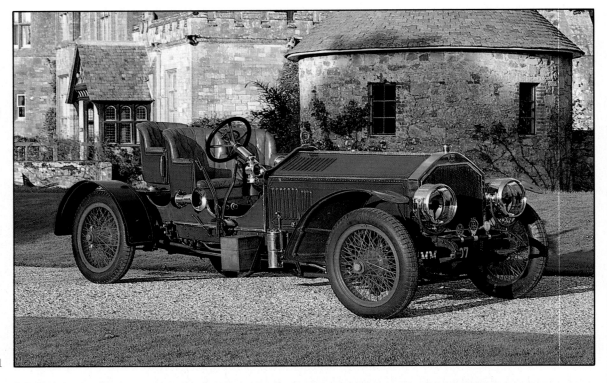

2

3

4

begon zijn leven als een variant in de Fordlijn, maar verwierf in 1940 een eigen identiteit als de auto die het midden hield tussen een Ford en een Lincoln. Deze Convertible toont een Zephyr-invloed. **7 1987 MITSUBISHI STARION TURBO** Deze traditionele achterwiel aangedreven auto is voorzien van een 2,6 liter, intragekoelde 155 pk turbo motor met brandstofinspuiting, goed voor een topsnelheid van 222 km per uur. **8 MERCURY TURNPIKE CRUISER** De Turnpike Cruiser begon zijn leven als een showauto, bedoeld om 'de Amerikaanse automobilist maximaal rijcomfort en veiligheid te bieden.' Deze grote broeikas was een 'saillante voorziening die in een volledig genot voorziet van alle perspectieven die de nieuwe tolwegen bieden.' De Indianapolis Motor Speedway vormde zo'n perspectief waarbij de Turnpike Cruiser in 1957 dienst deed als gangmaker. **9 1947 MERCURY** De eerste naoorlogse modellen, zoals deze tweedeurs sedan, onderscheidden zich niet van andere modellen. Pas in 1942 begon het merk zijn eigen faam te verwerven.

5

6

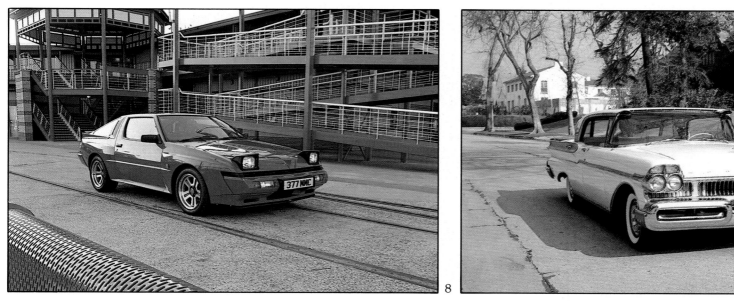

7

8

9

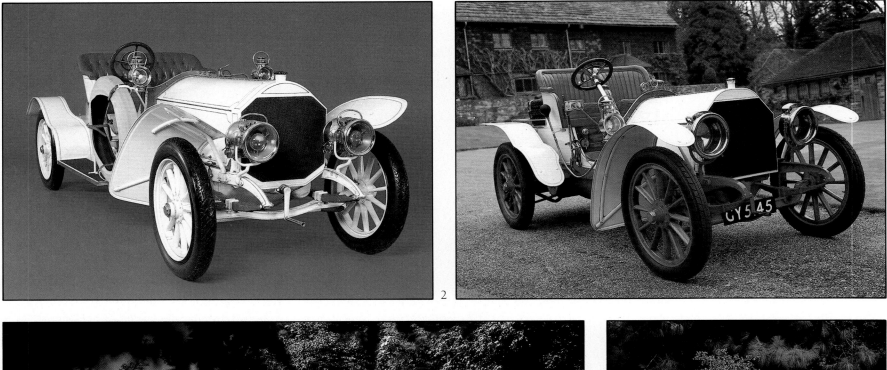

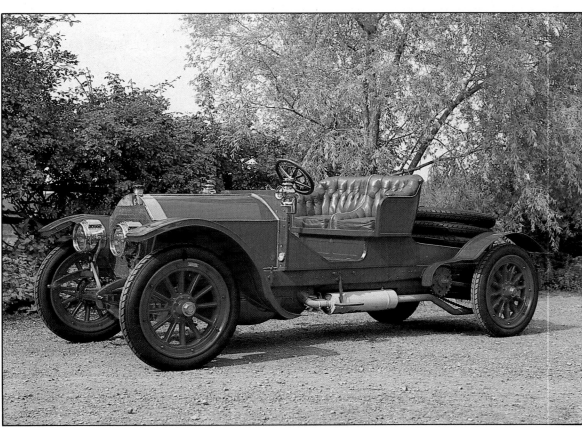

1
2
3
4
5
6

1-6 MERCEDES-BENZ De oorspronkelijke Mercedessen waren ontworpen door William Maybach, zowel de gezins- als de racewagens. Typerend voor de Mercedes Simplex van Maybach zijn deze auto's: **2 1903 Model 28/32. 3 1904 28/32 HP Phaeton. 6 1907 28/60 Simplex** en **1 1907 HP Simplex Sportwagen.** In 1907 werd Maybach opgevolgd door Paul Daimler. **5 De 1912 'Big Bertha'** is typerend voor de auto's uit die periode. Van 1908 tot 1913 hield Daimler zich niet met racen bezig, maar de come-back in 1914 tijdens de Franse Grand Prix was spectaculair. Daar bezetten de Mercedessen de plaatsen 1, 2 en 3 (**4**).

7

8

7-10 MERCEDES BENZ Prins Hendrik van Pruisen, enthousiast autoliefhebber, sponsorde vanaf 1908 een serie 'proefraces', die gewonnen werd door een Benz. Dit leidde tot de introductie van een serie sportauto's, waaronder de 1912 37/90 Prins Hendrik Torpedo (**8**). In 1926 ontwikkelde Daimler-Benz het Type 24/110/160, ontworpen door Ferdinand Porsche. Dit K-type had een 6,25 liter 6-cylinder motor, die 160 km per uur haalde. Remproblemen o.a. leidden tot de ontwikkeling van het Type S, dat een grotere 6,8 liter motor had en een lichter chassis. Op de foto's: **7 1927 Model K, 9 1927 Model K Gangloff Tourer, 10 1928 Model S 36/22. PAGINA 114-115: 1938 540K SINDLEFINGER CABRIOLET** 97 km in 14 seconden en een topsnelheid van 170 km per uur maakten van deze 540K de absolute top van de vooroorlogse Duitse autocapaciteit.

9

10

1

2

3

MERCEDES BENZ De nieuwe Duitse *Autobahnen* plaveiden letterlijk de weg voor de 540K's en hun tegenhangers, de 500K's van 5 liter. Hier afgebeeld zijn **6 DE 1935 500K, 1 DE 1936 500K SEDANCA MET NEERKLAPBAAR DAK EN 3 DE 1936 540K CABRIOLET**. De Saloon Type 32 uit 1936 was ontwikkeld uit het succesvolle Type 171. Het was een mechanisch geavanceerd ontwerp met hydraulische remmen, centrale chassissmering en verende achterassen. Het Type 220 werd geïntroduceerd in 1951, maar toonde toch nog invloeden van vooroorlogse vormgeving. Het werd aangedreven door een 6-cylinder, 2,2 liter motor die zorgde voor probleemloos toeren op hoge kruissnelheid. **2** Dit is een model uit 1953. **5 DE 1927 36/220S** Dit is nog een ander voorbeeld van de 'S'-typen van pagina 113. **OP DE VOLGENDE PAGINA: MERCEDES- BENZ 300 SL GULLWING**

4

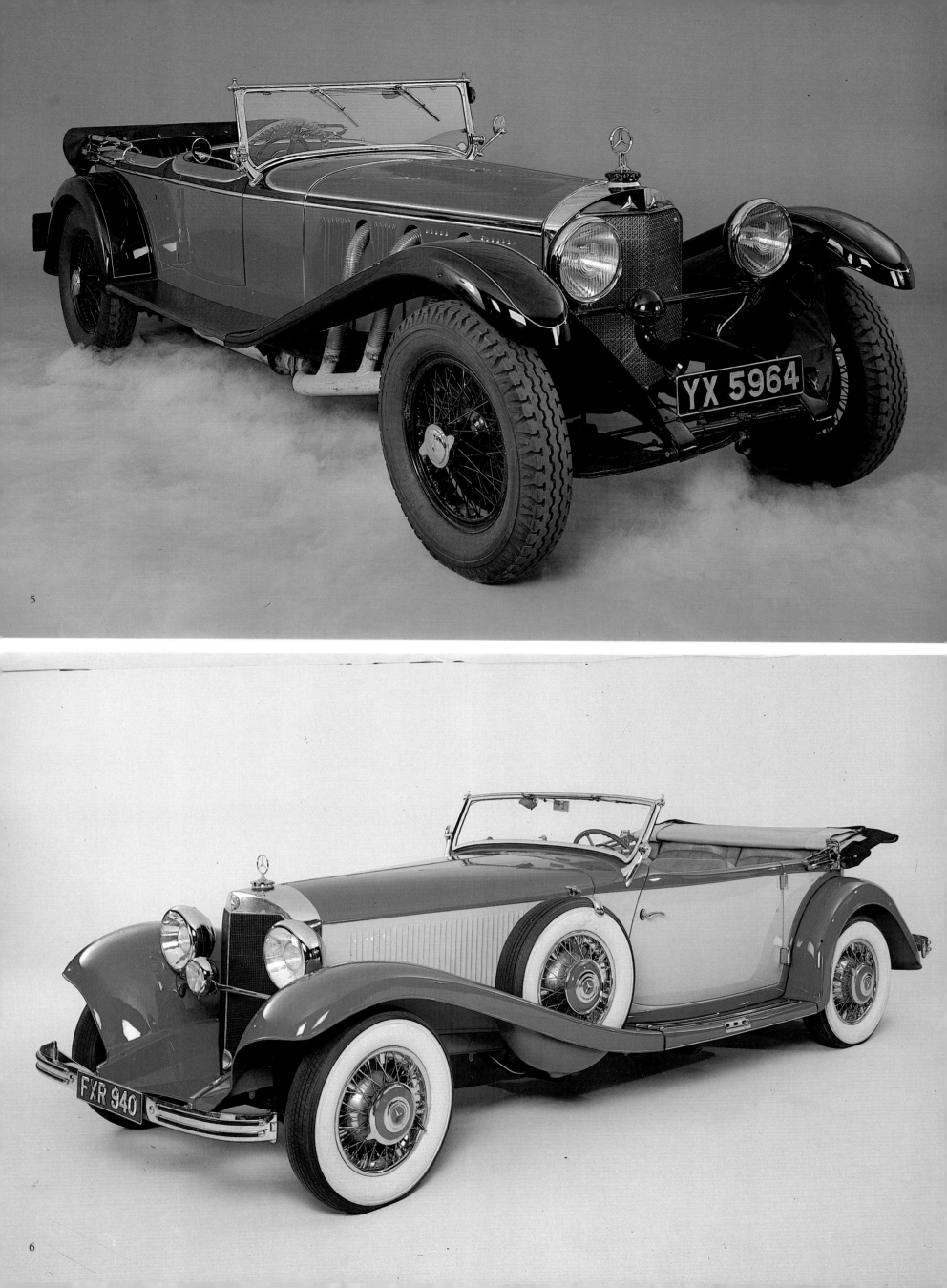

5

6

1

2

3

4

1 1956 MERCEDES-BENZ 190SL De 190SL werd geïntroduceerd in 1956 en was gebaseerd op de 180 sedan. Tussen 1956 en 1963 werden er 26.000 190SL's gebouwd. **2-5 MERCEDES-BENZ 300SL** De 300SL was de tourversie van de legendarische 300SR racewagen. Deze was voorzien van een chassis opgebouwd uit een multi-buizenframe en een futuristische coupécarrosserie met naarboven klappende deuren, de zogenaamde 'meeuwenvleugels'. Het was het eerste model met brandstofinspuiting als standaardvoorziening. De topsnelheid lag rond de 264 km per uur. Over de hele wereld zijn deze wagens zijn het populairst. Deze vier exemplaren werden geproduceerd tussen 1955 en 1957 met inbegrip van de wegraceversie. **2** Deze convertible werd in veel geringere aantallen geproduceerd dan de geraffineerdere meeuwenvleugelversie en is daarom ook moeilijker te vinden op veilingen van moderne klassiekers.

1 1965 MERCEDES-BENZ 220 SEC CONVERTIBLE 1965 was het laatste jaar waarin dit populaire type, aangedreven door een 6-cylinder van 2,2 liter, werd geproduceerd. **2 1970 MERCEDES-BENZ 600 PULLMAN LIMOUSINE** De naam Pullman werd gebruikt om de acceptatie van dit model in de Verenigde Staten te bewerkstelligen. **3 1987 MERCEDES-BENZ 300SL** De huidige S-klasse wordt gevormd door stijlvolle, krachtige en majestueuze toerwagens die de lijn van hun illustere voorgangers voortzetten. **4 1983 MERCEDES-BENZ 230CE** De CE-serie was bedoeld voor jonge stellen zonder kinderen, of oudere stellen waarvan de kinderen inmiddels het huis uit waren, of een ieder die meer wilde dan een 190SL - maar ook weer niet te veel. Of zoiets. **5 1986 MERCEDES-BENZ 300 SEL 6 1982 MERCEDES-BENZ 500SL ROADSTER** Deze wagens zijn snel, stil en gemakkelijk te besturen. **7 1983 MERCEDES-BENZ 500SEC COUPE** Deze wagen weegt zo'n 1781 kg, voorziet in elk denkbaar comfort dat een individu zich maar kan wensen en dat het vermogen maar kan ondermijnen, maar is toch in staat om van 0 tot 100 km per uur te accelereren in 7 seconden. Niet slecht.

6

7

1-4 MORRIS Morris was het best verkopende automerk tussen de twee wereldoorlogen, in het begin aangevoerd door de Cowley en Oxford 'stiereneus'-modellen die het uithielden van 1919 tot 1926. (2) De populairste kracht-bron was een 4-cylinder motor van 24 pk met een in-houd van 1548 cc die ongeveer 80 km per uur kon halen. Na 1926 was het gedaan met de 'stiereneus'-look en begon Morris meer gevarieerde ontwerpen te bou-wen. **3 HET MODEL TEN** voorzag in een constructie van geperst staal. **1 DE MORRIS EIGHT** werd geïntroduceerd in 1935 en zorgde ervoor dat de fabriek aan de top van de Britse verkooplijsten kwam te staan. Hij had dezelfde motor als zijn voorgangers maar was daarnaast voor-zien van hydraulische remmen. **4 MORRIS MINOR** Dit had verder geen gevolgen, want de auto bleef 23 jaar lang in produktie (van 1948 tot 1971). De Model 1000-aanduiding werd in 1957 toegevoegd toen de motorin-houd werd opgevoerd naar 948 cc. De hier afgebeelde convertible komt uit '67.

1

2

3

4

5

6

5 1932 NASH SEDAN De Nash-reeks uit 1932 had een stijf frame van het X-type en 8-cylinder motor van 125 pk en 322 kubieke inch. **1956 NASH AMBASSADOR** Hudson en Nash fuseerden in 1954 en vormden American Motors met George Romney als directeur. De Ambassador maakte gebruik van de Packard motor van 320 kubieke inch die een vermogen van 208 pk had en was voorzien van een Twin Ultramatic transmissie.
7 1953 NASH-HEALEY CONVERTIBLE Gebouwd van 1950 tot 1954 in de fabriek van Donald Healey in Engeland en uitgerust met een Nash-motor die op zijn beurt was voorzien van nieuwe aluminium cylinderkoppen, kon deze Nash 145 pk ontwikkelen met een topsnelheid van 176 km per uur. Na 1952 werden de carrosserieën ontworpen door Pininfarina. Er werden er rond de 500 van gemaakt. **8 1933 NASH SPECIAL 8 CONVERTIBLE SEDAN** Hoewel Nash geen bekendheid genoot met betrekking tot de vormgeving werden er toch enige zeer mooie modellen gebouwd, met inbegrip van deze Convertible uit 1933.

7

8

1 1911 POPE HARTFORD Dit Amerikaanse merk bestond van 1903 tot 1914. Toen deze toerwagen voor 7 personen op de markt kwam, waren er al 14 modellen verkrijgbaar die of met een motor van 36 pk, of met een motor van 44 pk waren uitgerust. **2 1902 PANHARD-LEVASSOR** In 1902 was deze firma een van de grootste autofabrikanten ter wereld met een produktie van 75 auto's per maand. Gezien als uitvinder van de combinatie van de voorin geplaatste motor die de achterwielen aandreef, won deze firma de eerste race van Parijs naar Bordeaux. **7 1910 OTTO** Deze werd gemaakt in Frankrijk van 1901 tot 1914. **5 1970 OLDSMOBILE CUTLASS SUPREME** Hij werd aangedreven door een V-8 motor van 350 kubieke inch die ongeveer 310 pk leverde. **6 1964 OLDSMOBILE F-85 CONVERTIBLE** De F-85 was de bijdrage van Oldsmobile aan de wedrennen voor lichte auto's. **7 1970 OLDSMOBILE CUTLASS** Dit was de Cutlass Supreme uit 1970, alleen in mindere mate. **8 1971 OLDSMOBILE 4-4-2** 1972 werd het laatste bouwjaar voor de 4-4-2, een wagen met grote prestaties.

1

2

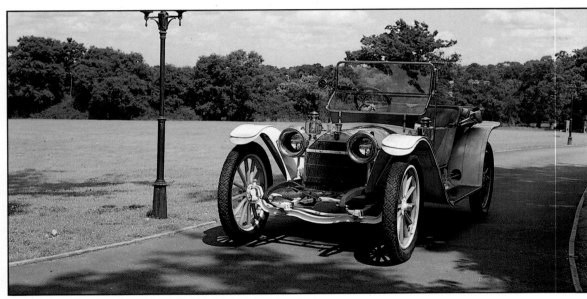

3

4

5

6

7

8

1 1934 PACKARD SEVEN-PASSENGER TOURER "Vraag het de man die er een heeft." Deze slogan slaat zeker op de prachtige modellen die in de jaren '30 bij Packard werden geproduceerd, met inbegrip van deze verbluffende V-12 met een door Dietrich ontworpen carrosserie. **2 1936 PACKARD 120-B SEDAN** De 120 werd geïntroduceerd in januari 1935 en was, voor een Packard, klein van omvang en woog dan ook niet meer dan 1589 kg. **3 1936 PACKARD V-12** Veel van 's werelds beste carrosseriebouwers, zoals Dietrich, Rollston, en Howard 'Dutch' Darrin uit Parijs die deze unieke bootromp op een 135 inch chassis creëerde, werden geïnspireerd door het vakmanschap bij Packard.
4 1938 PACKARD ROLLSTON DC PHAETON Dit exemplaar, gebouwd door Rollston, is gemonteerd op een 1608 chassis. **5 1933 PACKARD V-12** De V-12 Packards begonnen hun leven uitgerust met een motor van twee maal 6 cylinders en kregen hun V-12 aanduiding in 1933. Verbeteringen waren: enkele droge koppelingsplaten en een Stromberg-carburateur met automatische choke. **6 1932 PACKARD CONVERTIBLE** Clyde Paton was verantwoordelijk voor de zogenaamde 'Ride Control'- vering in 1932. **PAGINA 130-131: 1934 PACKARD 1105 COUPE ROADSTER**

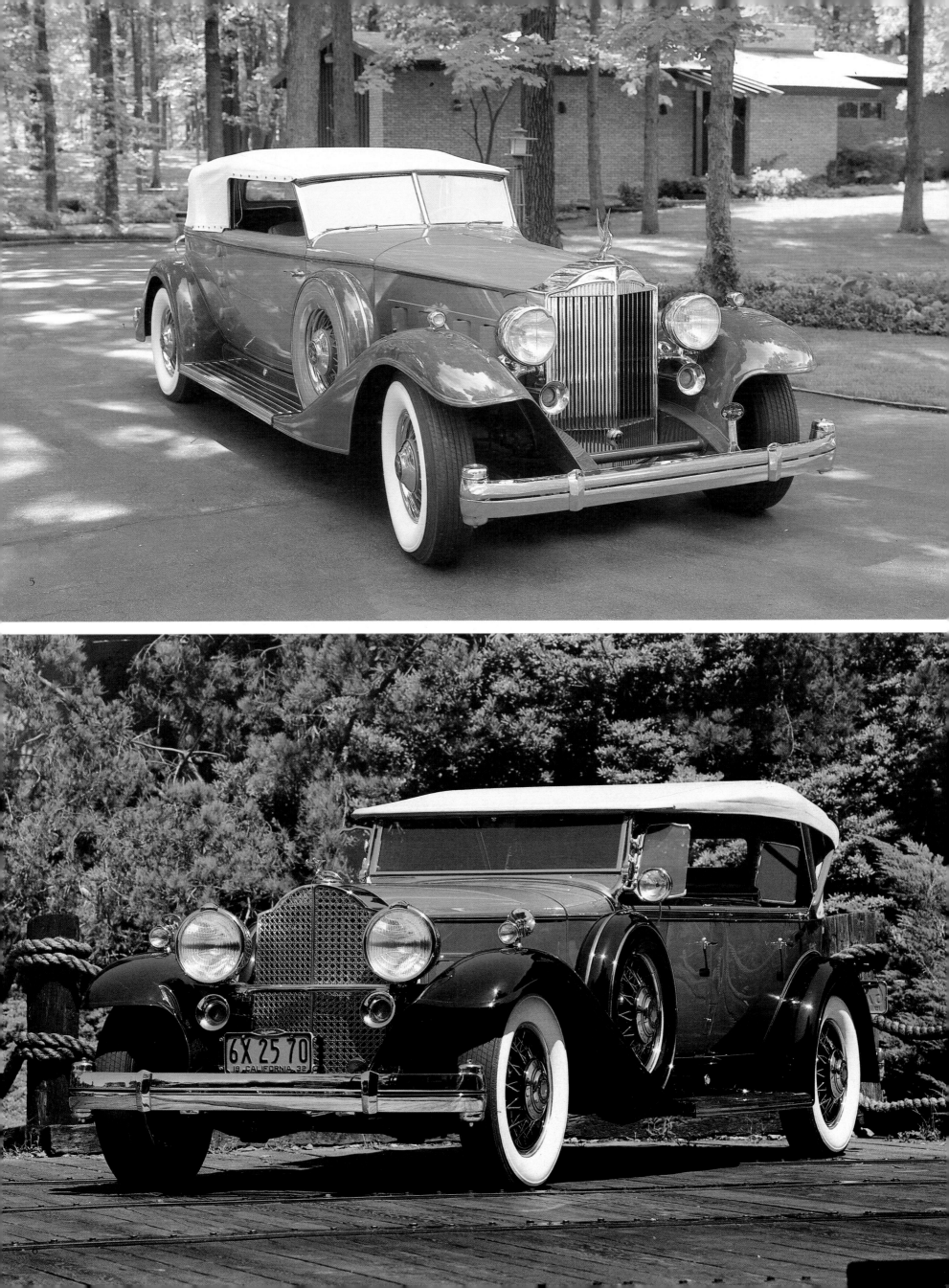

1

2

3

1 1939 PACKARD CONVERTIBLE De V-12 exemplaren uit de 1700 serie, geïntroduceerd in september 1938, waren identiek aan de modellen uit '37 op enkele kleine veranderingen na, zoals een nieuwe stuurkolom met versnelling. **2 1937 PACKARD V-12 CONVERTIBLE** Voor de wagens van de 16 serie uit 1937 betekende de nieuwe onafhankelijke voorvering een betere handelbaarheid. De verkoop schoot omhoog. **3 1934 PACKARD EIGHT** Het grote nieuws dat jaar was dat de Eight-modellen weer zouden worden geleverd, voorzien van carrosserieën ontworpen door Dietrich en LeBaron. De verkoop lag over het algemeen in de buurt van de 1103, die voor niet meer dan 2350 dollar van de hand ging. **4 1920 PACKARD TWIN SIX STADSWAGEN** Deze Twin Six Special werd speciaal voor de Atwater Kents (bekend van de radio) gebouwd door Fleetwood. **7 1935 PACKARD CARIBBEAN** De Caribbean was een showauto die zelfs het produktieproces haalde. Standaardvoorzieningen zoals een volledig leren interieur, verchroomde wieldoppen en een achterspatbord, geïnspireerd op de staartvin met bevestigingsmogelijkheid voor een continental reservewiel, waren uniek voor die tijd. **6 1956 PACKARD CLIPPER** In 1955 introduceerde Packard nieuwe carrosserieën, uitgerust met een V-8 motor en deze zouden niet veranderen tot 1956, het laatste produktiejaar van de 'echte' Packard. **5 1958 PACKARD HAWK** De laatste wagen die de trotse naam van Packard zou dragen, was eigenlijk een Studebaker, maar wel een van de betere modellen. Slechts 588 werden er gebouwd.

4

5

1

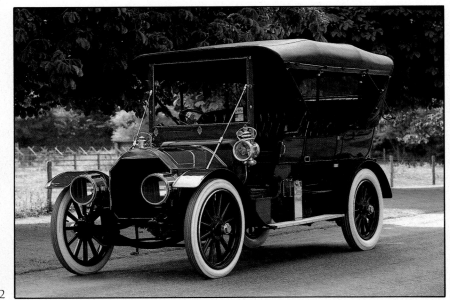

2

3

PIERCE ARROW In 1901 debuteerde de Pierce Company uit Buffalo met hun eerste 1-cylinder Motorette. **2** Een ander vroeg exemplaar was de Great Arrow die vijf achtereenvolgende Gidding Tours won, te beginnen in 1905. Dit merk stond bekend om de grote afmetingen van zijn creaties, zoals de Great Six van 824 kubieke inch uit 1907. **3** De Gentlemen's Roadster had, zoals andere modellen die tot 1920 werden gebouwd, het stuur aan de rechterkant. De Pierce Arrow was bij veel verschillende klanten populair: Woodrow Wilson koos een model uit 1917 als limousine, terwijl illegale drankstokers, de *bootleggers*, deze auto waardeerden vanwege zijn geluidsarme motor en betrouwbaarheid. **1** De Coupé uit 1931 toont hier de karakteristieke koplampen die op de spatborden waren gemonteerd. Dit was standaard sinds 1913. Halverwege 1931 werd een V-12 versie aangeboden als metgezel van de populaire 6-cylinder. In 1928 fuseerde het bedrijf met Studebaker en produceerde een serie geweldige Cabriolets (**4 & 5**) en Convertibles zoals dit model uit 1932 (**6**). Financiële problemen teisterden de firma nadat deze in 1933 weer zelfstandig werd. Op vrijdag de dertiende mei, 1938, werd het bedrijf uiteindelijk per opbod verkocht.

4

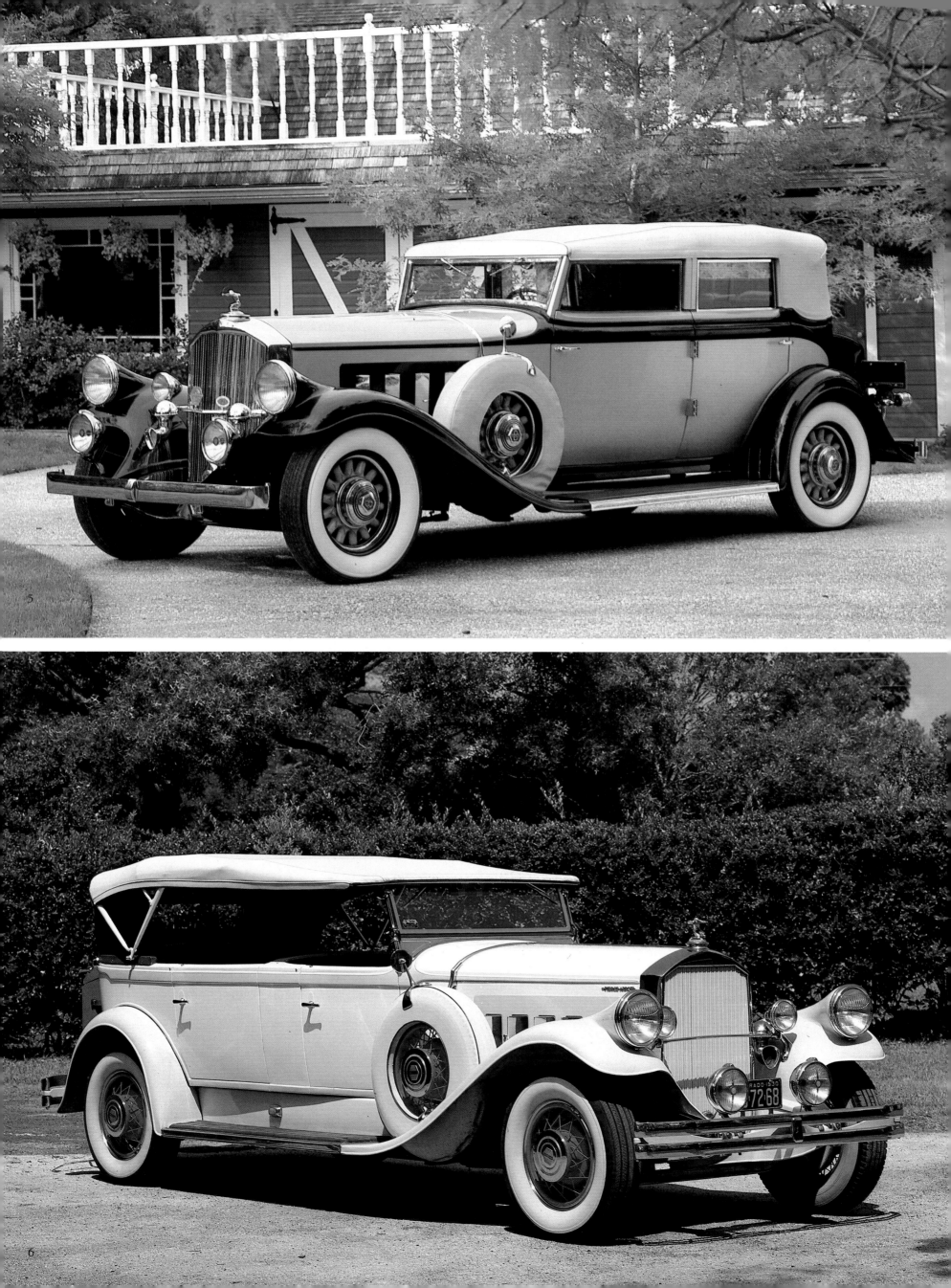

1 PLYMOUTH BELVEDERE Een klassiek voorbeeld van Virgil Exners 'Flight Sweep'-vormgeving, die het eerst verscheen in 1957. In 1961 waren de staartvinnen verdwenen. **2, 3, 4 & 6 1970 PLYMOUTH SUPERBIRD** Het uitgebreide aerodynamische onderzoek, uitgevoerd door de Special Vehicles Group van Chrysler en het gebruik van de windtunnel bij Lockheed resulteerden in de opvallend lange neuskegel plus achtervleugel. De hoogte hiervan werd bepaald door de noodzaak om de goedgekeurde produktiemodellen uit te voeren met een bagageklep die natuurlijk wel open moest kunnen. De Superbird en zijn zus, de Dodge Daytona, waren zo dominant op het circuit dat NASCAR de regels aanpaste en deed wat niemand ooit was gelukt: hij versloeg hen. **5 1969 PLYMOUTH GTX 440** De GTX was een van de sterke troeven van MOPAR op het terrein van de 'muscle cars'. Voortgestuwd door de befaamde Hemi-motor kon hij 100 km per uur halen in 6,1 seconden en de kwart mijl afleggen in 13,8. **7 PLYMOUTH AAR'CUDA** Dit model wordt over het algemeen beschouwd als de Chrysler met de beste prestaties voor de gewone weg. Een acceleratie van 0 tot 100 in 5,8 seconden lijkt dit te bevestigen.

3 1937 PONTIAC SEDAN 1937 bracht grote veranderingen met zich mee voor de Pontiac-lijn, waaronder een grotere wielbasis van 122 inch en een 8-cylinder lijnmotor van 100 pk, die deze auto's een snelheid gaven van 140 km per uur. **1 1948 PONTIAC SILVER STREAK** Pontiacs fameuze Silver Streak-vormgeving was in eerste instantie ontworpen om de naden van het plaatwerk te verbergen. In 1948 vormden de Hydra-Matic transmissies een populaire optie. **2 1951 PONTIAC CHIEFTAIN DELUXE** In 1951 vierde Pontiac het zilveren jubileum. De top van de collectie werd aangedreven door een 8-cylinder lijnmotor van 266,1 kubieke inch. De motor was zeer ver naar voren geplaatst en doordat de achterste zitbank zich nog voor de achteras bevond, gaf dit de passagiers de indruk dat ze in een wiegje reden, zo rustig en comfortabel. **4 1956 PONTIAC STARCHIEF** In 1955 had Pontiac zijn eerste V-8 geïntroduceerd en in 1956 werden er meer veranderingen doorgevoerd, waarbij een 285 pk motor tot de mogelijkheden behoorde.

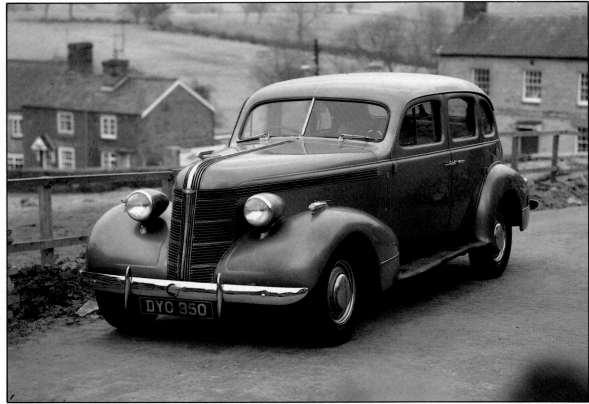

5

6

7

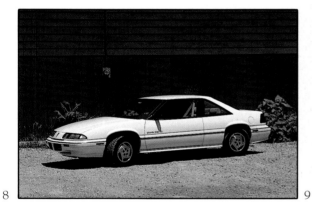

8

9

5 1965 PONTIAC GTO De GTO woog minder dan
1472,8 kg, maar met 335 pk onder de kap kon hij van
0 naar 100 km per uur accelereren in minder dan 6.
seconden. 6 1974 PONTIAC TRANS AM 455 SUPER
DUTY In 1974 werd de vormgeving van de Firebird
Trans Am aangepast, waarbij de spoiler onder de neus
werd geïntroduceerd en het motorvermogen werd teruggebracht. Maar als de klant toch behoefte had aan snelheid, kon de Super Duty V-8 van 455 kubieke inch ingebouwd worden, eventueel met een Turbo-Hydramatic
transmissie. Dit laatste was zeldzaam bij zulke krachtpat-
sers. 7 1979 PONTIAC GRAND AM SPORT COUPE De
Grand Am werd geïntroduceerd in 1973: een 'combinatie van de luxe van de Grand Prix en de prestaties en
handelbaarheid van de Trans Am'. Juist. 8 1988
PONTIAC GRAND PRIX Het fundamentele GM chassis
met de fundamentele GM V-6 van 2,8 liter. Verkrijgbaar
met een 4-versnellingspook of een automatische 5-ver-
snellingsbak. 9 1979 PONTIAC TRANS AM DAYTONA
500 PACE CAR REPLICA. 10 1988 PONTIAC BONNE-
VILLE SSE De V-6 3,8 liter motor neemt een belangrijke
plaats in in deze eerste klas Bonneville die ook nog eens
is voorzien van ABS remmen, Y99 rallyvering en 'self-
leveling ride control', een zichzelf corrigerende wegligging.

10

1 1952 PORSCHE 356 Ferdinand Porsche bouwde zijn eerste 356 in Oostenrijk, maar verhuisde al spoedig naar de huidige lokatie in West-Duitsland. De 356 kon besteld worden met motoren die varieerden van 1086 cc tot 1966 cc. **2 1975 PORSCHE 911 TURBO** De 911 Turbo werd geïntroduceerd op de show van Parijs in 1974 en was bedoeld voor een beperkte produktie. **3 1965 PORSCHE 911S** Aan het eind van 1963 kwam Porsche met een wagen die voorzag in de eerste echte veranderingen in het ontwerp, waaronder de 911, sinds 16 jaar. Het was de eerste produktiewagen van Porsche met een 5-versnellingsbak. Dertig jaar later doet ie het nog prima. **4 1959 PORSCHE 365B SPEEDSTER** Dit type, geïntroduceerd in 1959, werd de 'D'-convertible genoemd omdat de carrosserie werd gemaakt bij Reutter in Drauz. **5 1955 PORSCHE SPEEDSTER** De 356 Speedster verscheen het eerst in 1954. Hij was voorzien van een motor van 1500 cc die 55 pk leverde als standaardversie en 70 pk als superversie, met overeenkomstige topsnelheden van 150 en 160 km per uur. **6 1958 PORSCHE 356A SUPER 75 COUPE** 1958 markeerde het officiële einde voor de produktie van de 356A.

1 1979 PORSCHE 911SC COUPE De SC was bedoeld als het laatste model uit de 911 serie, aangezien zijn geplande opvolger, de 928 met voorin geplaatste motor, al in produktie was. De grote vraag echter hield de 911 in leven en in 1981 bevestigde de voorzitter van Porsche, Peter Schutz, zijn bedoeling om door te gaan met de produktie van deze wagen. **2 1982 PORSCHE 930 TURBO** De benaming 'Turbo' is hier overbodig volgens de firma. De eerste Turbo-modellen kregen de aanduiding 'Type 930'. Dus hoe je het ook wendt of keert, een Turbo is in feite een 930. De Turbo-'look' werd zo populair dat hij nu in drie verschillende carrosseriestijlen wordt verkocht, namelijk de Coupé, Targa en Cabrio. **3 1977 PORSCHE 911 CARRERA** In 1977 kreeg de Carrera een motorinhoud van 3 liter en werd opgevoerd tot 200 pk. Deze wagen zou in 1978 worden vervangen door de 911SC. **PAGINA 144-145: 1982 PORSCHE 911SC**

1 1979 PORSCHE TURBO De Turbo, geïntroduceerd als een 1975 model, bleef onveranderd tot 1978, waarna de motorinhoud tot 3299 cc en het vermogen tot 300 pk werd opgevoerd. **2 1986 DP MOTORSPORTS 911 CONVERSION** De 911 lijkt de oorzaak te zijn geweest van de opkomst van veel firma's die bestaande auto's verder aanpassen en verbeteren. De firma DP Motorsports heeft een reputatie opgebouwd met kwalitatief hoogstaand vakmanschap. **3 1985 PORSCHE 928** Dit motorblok was nieuw voor '85 met een opgevoerde inhoud van 320 kubieke inch en een compressieverhouding van 10:1. **4 1982 PORSCHE 924 TURBO** 1982 markeerde het einde voor de 924 die van een turbo-aanjager was voorzien om de prestaties nog verder op te vijzelen. **5 1982 PORSCHE 911SC** De 944 werd in 1981 opnieuw aangekondigd als de vervanger voor de 911. **6 1982 PORSCHE 924 TURBO** Conceptueel gezien was de 924 hetzelfde type dat Porsche aan VW leverde voor diens geplande sportwagen. Toen VW besloot niet door te gaan met dit project, kocht Porsche het ontwerp terug en bracht het uit als de 924. **7 1984 PORSCHE 928** Dit is de langste en breedste Porsche die ooit gebouwd is. **PAGINA 148-149: 1987 911 TURBO SPORT**

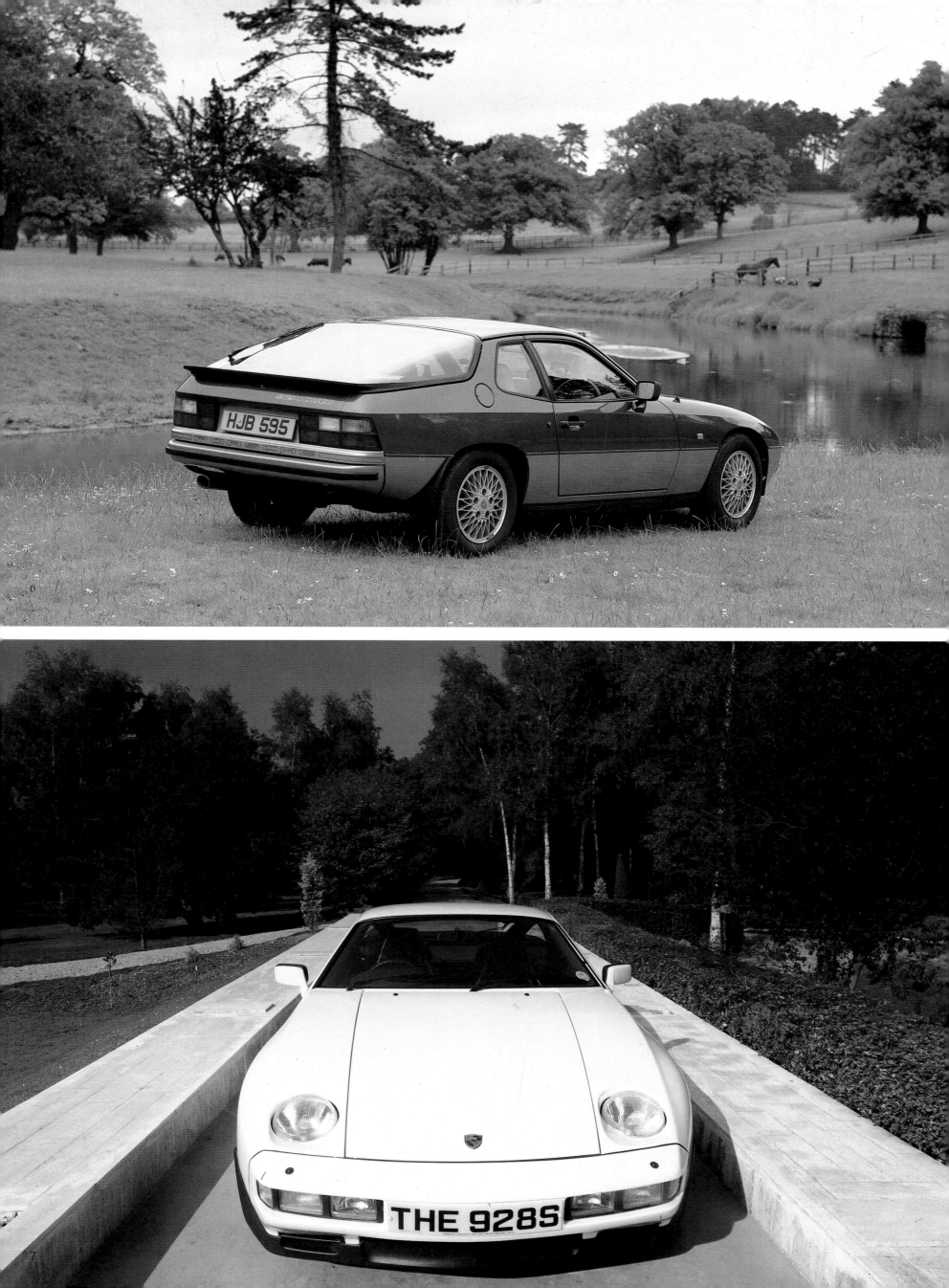

2,3,4 & 5 1987 PORSCHE 911 TURBO SPORT Naast zijn uitstekende prestatiecijfers is de Turbo Sport ook nog eens zeer luxueus uitgevoerd. Het interieur voorziet in gemakken zoals air-conditioning en elektrische ramen, een stereo radio-cassetterecorder, stoelen die op 12 manieren versteld kunnen worden, en natuurlijk is alles met leer afgezet. **6 OMGEBOUWDE PORSCHE VOOR SPORTPRESTATIES** Dit is nog een sprekend voorbeeld van een Porsche die is aangepast door een gespecialiseerde firma.

5

6

1987 PORSCHE 944 TURBO "Uitstekend weggedrag." "Het beste dat Porsche ooit is overkomen." "De meest vooruitstrevende techniek." Wat commentaar op de half-broer van de 928. Halfbroer, want de 4-cylinder lijnmotor was precies de rechter helft van de V-8 uit de 928. De motor, uitgevoerd met aanjager en een enkele bovenliggende nokkenas, is goed voor 217 pk, gaat van 0 tot 100 in 6,1 seconden en heeft een topsnelheid van 243 km per uur. **PAGINA 154-155: 1987 PORSCHE TURBO**

2

3

4

5

1988 PORSCHE 911 CARRERA CABRIO De Porsche 911 is al heel lang onder ons en als het aan de Carrera Cabriolet ligt zal dat nog wel even duren. Dit is luxueus toeren in de ware zin des woords: comfortabel en efficiënt. Snelle verplaatsbaarheid voor twee. [159]

2

3

4

5

1, 3, 5 & 6 1988 PORSCHE 959 De 959 mag er dan niet zo flitsend uitzien als de Ferrari F40 of de Lamborghini Countach, maar hij kan wel eens de superwagen onder de superwagens worden. Zijn vierwielaandrijving, onder constante computercontrole, kan hieraan vast een bijdrage leveren. Wanneer de auto een bocht neemt, rekent de boordcomputer automatisch uit welk deel van de auto de meeste tractie nodig heeft. De dubbele turbomotor van 450 pk met dubbele nokkenas is in staat om deze 1470 kg zware auto van 0 tot 100 te laten accelereren in 3,9 seconde en een topsnelheid te laten halen van 304 km per uur. **2 & 4 PORSCHE 928S 4** In 1987 ging de 928 over in de 928S 4. Om deze aanduiding eer aan te doen werd de auto uitgerust met een herziene 5 liter V-8 van 316 pk die, met de verbeterde aerodynamische vorm, de auto een topsnelheid gaf van 264 km per uur.

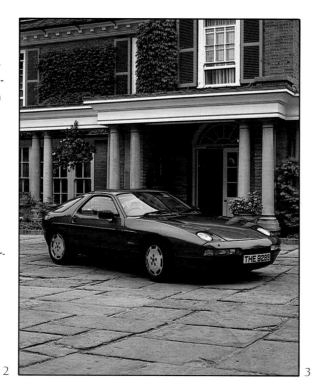

2

3

4

5

6

1 1989 PORSCHE 928S 4 De 928S 4 blijft in essentie onveranderd, waar de meeste mensen waarschijnlijk wel vrede mee zullen hebben. **2 & 4 1989 PORSCHE 944** In 1989 had de 944 een voorin geplaatste, watergekoelde motor met een grotere, 2682 cc motor van 162 pk die de prestaties verbeterde en de topsnelheid opvoerde tot 220 km per uur. **3 1987 GEMBALLA AVALANCHE PORSCHE** De Gemballa Avalanche werd de hit van de Geneefse Autoshow van 1985. **5 1989 PORSCHE 944 TURBO** Voor 1989 werden de prestaties van de Turbo verder opgevoerd door een 247 pk turbomotor met intercooling die voor een topsnelheid van 260 km per uur zorgde, en de wagen, uitgerust met ABS, kreeg een verminderde slipgevoeligheid. **6 1989 PORSCHE 911** Over vijftig jaar, wanneer auto's die op benzine rijden tot het verleden behoren, zal er waarschijnlijk weer een nieuwe 911S verschijnen, waarbij de S staat voor Solair oftewel: 'door zonne-energie aangedreven'. **PAGINA 162-163: 1989 PORSCHE 928S**

3

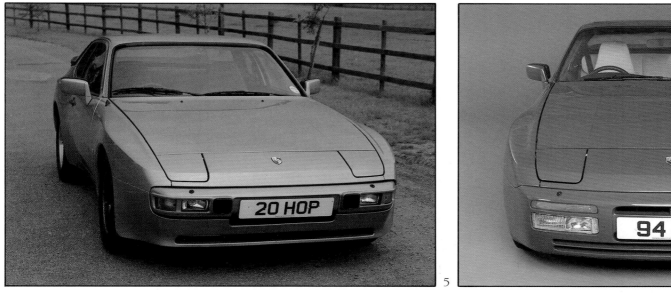

4

5

6

1

2

3

4

5

6

1 1911 RENAULT AX Rond deze tijd begon de firma zich te concentreren op de particuliere in plaats van op de racemarkt. Van de eerste categorie is dit tweezits tuffertje een goed voorbeeld. **2 1934 RENAULT CELTAQUARTRE** Renault wist bepaald mooie namen te verzinnen voor hun auto's van de jaren '20 en '30, zoals de Vivasix, Vivastella, Nervastella, Monaquartres, Vivaquartres en, in 1934, de Celtaquartre Sedan. **3 1937 RENAULT CELTAQUARTRE** Een convertible versie van de populaire Celtaquartre. **4 1962 RENAULT FLORIDE** De Floride met voorwielaandrijving verscheen in 1962. **5 1958 RENAULT 4 CV** De 4 CV was een van de populairste auto's in het naoorlogse Europa. In tien jaar werd er een miljoen gemaakt. **6 1988 RENAULT GTF TURBO** Een in het midden geplaatste intragekoelde turbomotor van 1397 cc laat de wagen accelereren van 0 tot 100 in 8 seconden en levert een topsnelheid van 200 km per uur. **8 1970 RENAULT ALPINE A110** Jean Reédélé modificeerde Renaults die daarna gebruikt werden in de Europese rallykampioenschappen. In 1955 voltooide hij de Alpine Marque, die nu deel uitmaakt van de Renault-collectie.

1 1934 RILEY IMP Het 4-cylinder motorblok van de IMP was in 1927 ontwikkeld voor de Riley Nine en bleef in gebruik tot 1957. **2 1953 RILEY RMF** De RMF van 2,5 liter werd geïntroduceerd in 1953 en bleef in produktie tot 1957. **3 1937 RILEY SPRITE** De Sprite was de laatste uit de reeks klassieke Riley sportwagens. In 1938 stond het bedrijf op de rand van de financiële afgrond, waarna het werd gekocht door Lord Nuffield die verklaarde er "zeer op gebrand te zijn de ontwikkeling van de kenmerken die de Riley zo bijzonder hebben gemaakt, niet verloren te laten gaan." Het lukte hem niet. **4 1937 ROVER 10** In de jaren '30 stond Rover bekend als een fabrikant van hoogwaardige, zuinige auto's. Uit het oogpunt van efficiëntie bij de fabricage werden de typen 10, 12 en 14 uitgerust met identieke carrosserieën, terwijl de typen 10 en 12, uitgerust met een 4-cylinder motor van resp. 1388 cc en 1496 cc, hetzelfde chassis hadden. **5 1930 RUXTON** Voorwielaandrijving en een unieke gesplitste versnellingsbak zorgden ervoor dat de Ruxton 25 cm lager kon worden dan zijn tijdgenoten. Dit 'originele, ingenieus verkregen lage profiel' bleek niet voldoende. Na slechts twee jaar werd de Ruxton, met minder dan 300 exemplaren, geschiedenis.

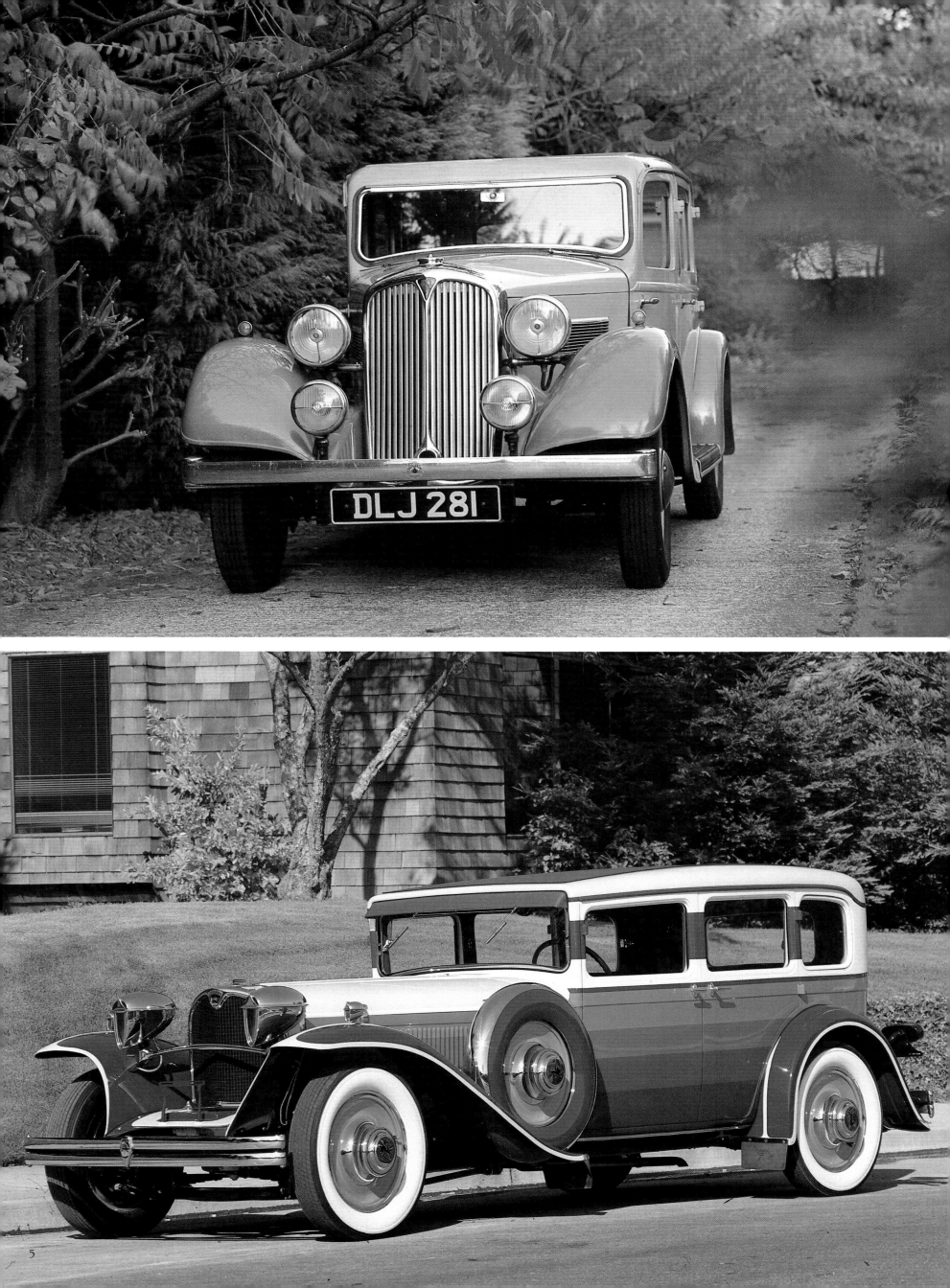

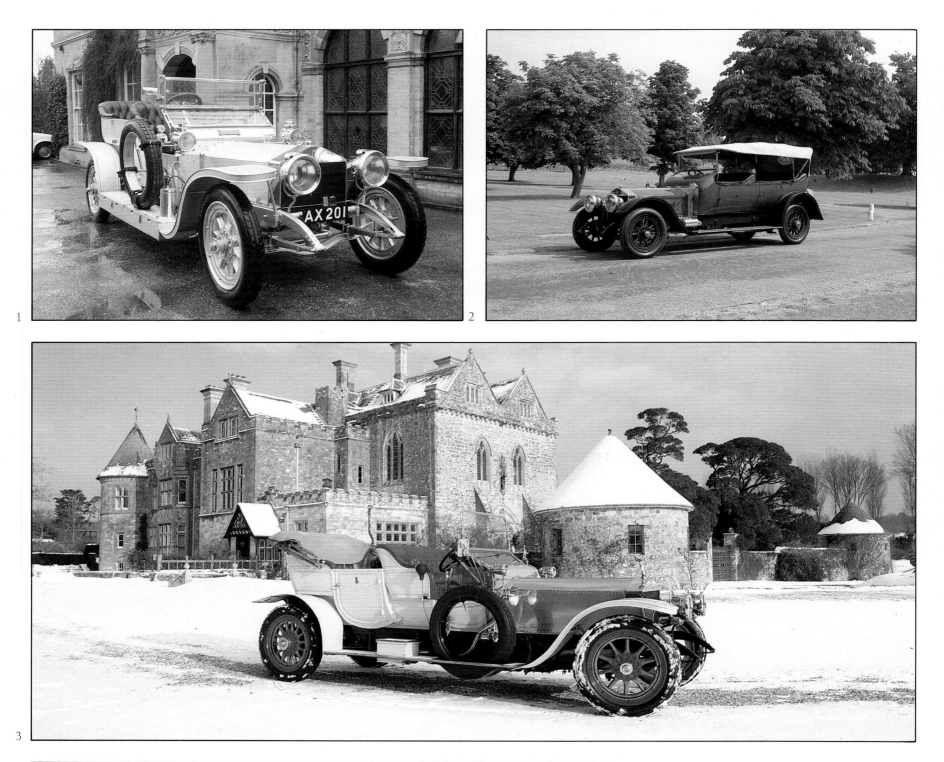

1

2

3

4

1 1907 ROLLS-ROYCE SILVER GHOST In april 1907 werd de dertiende 40/50 carrosserie voltooid en die zou de basis vormen voor wat de meest befaamde Rolls-Royce aller tijden zou worden. De carrosserie werd zilverkleurig gespoten en kwam compleet met verzilverde onderdelen en een zilveren insigne dat de naam van het type droeg: de Silver Ghost. **2, 3, 5 & 6 ROLLS-ROYCE SILVER GHOST** In september 1907 begon men met de produktie van de Silver Ghost, waarbij per week vier carrosserieën de fabriek verlieten. De auto was zo'n succes, dat op 2 maart 1908 werd besloten geen andere typen meer te bouwen. Dit druiste in tegen wat er in die tijd als norm en noodzaak voor succes werd beschouwd: aanbod van een zo groot mogelijke verscheidenheid aan modellen. **(3)** Een model uit 1909, **(2)** een model uit 1912 met een Barker-carrosserie, **(5)** een model uit 1914 en **(6)** een halve bootromp-carrosserie uit datzelfde jaar. **4 1914 ROLLS-ROYCE ALPINE EAGLE** De Oostenrijkse Alpine beproevingen werden van 1910 tot 1914 ieder jaar gehouden. Enige Silver Ghosts waren voorbereid voor deelname aan die van 1913 en werden uitgerust met 4-versnellingsbakken en motoren van 70 pk. Deze wagens wonnen en hoewel er spoedig replica's van deze auto's op de markt kwamen onder de naam Continental, zouden zij door velen toch gezien worden als Alpine Eagles.

1

1 **1909 ROLLS-ROYCE SILVER GHOST** De Silver Ghost-serie voor het jaar 1909 had twee belangrijke veranderingen in het ontwerp: de motorinhoud werd opgevoerd van 7036 cc naar 7428 cc, en het vermogen ging van 48 naar 60 pk. Verder werd de 3-versnellingsbak vervangen door een 4-versnellingsbak. **2 1911 ROLLS-ROYCE SILVER GHOST** 1911 was het geboortejaar van de beroemde mascotte, de Vliegende Dame. **4 1904 ROCHET-SCHNEIDER** Deze wagen (''s werelds beste heuvelklimmer'), gebouwd van 1894 tot 1932 in Lyon in Frankrijk, voorzag in unieke metaal-op-metaal remmen, die werden gekoeld door een waterstraal die bediend werd door de bestuurder. **5 1914 ROLLS-ROYCE ALPINE EAGLE**

2

3

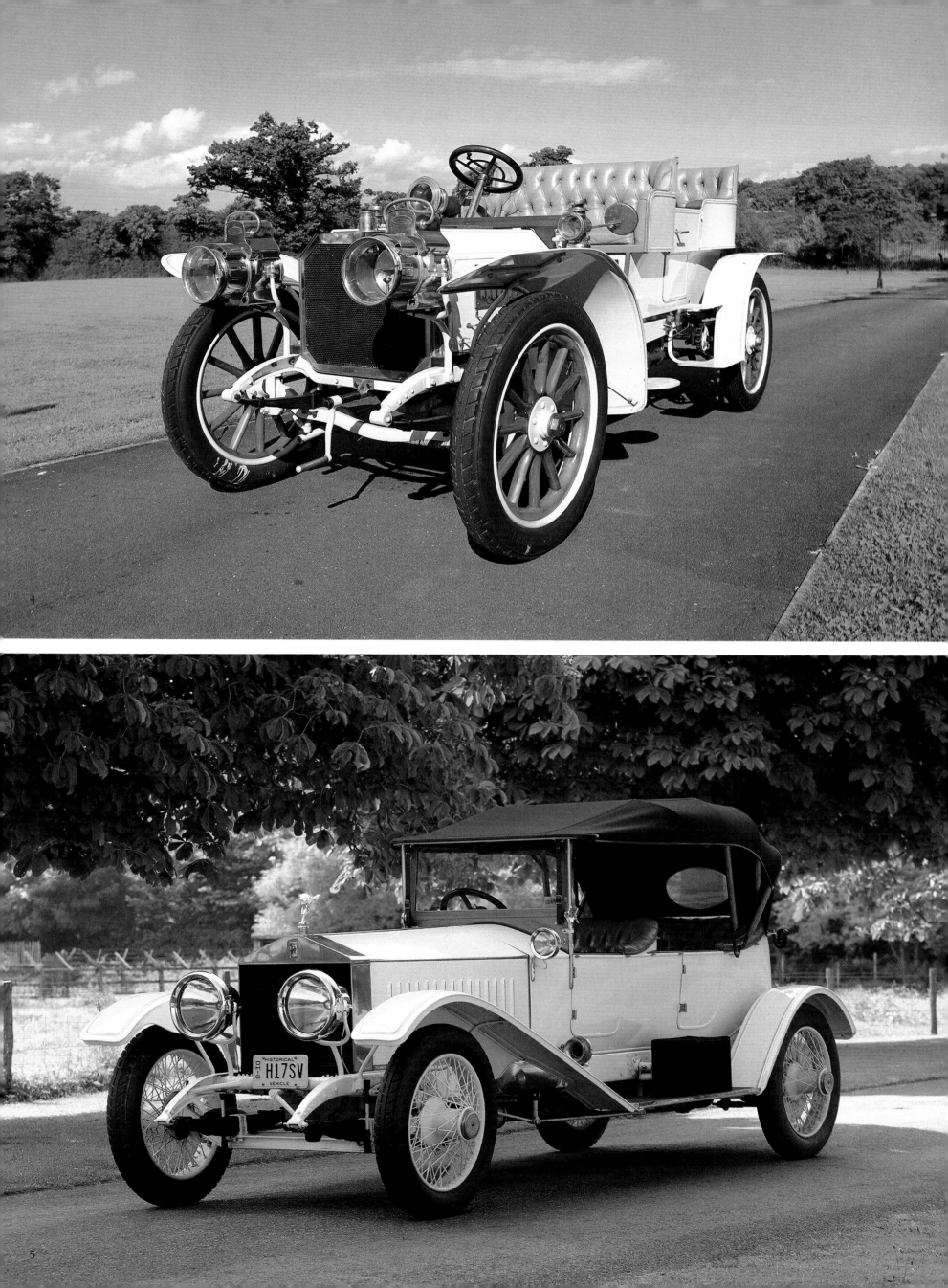

1 **1929 ROLLS-ROYCE PHANTOM II** In september 1902 werd de 'New Phantom' (of de Phantom I) vervangen door de Phantom II. De belangrijkste verschillen zaten in het chassis. 2 **1926 ROLLS-ROYCE PHANTOM I TOURER** Deze nieuwe Phantom was op zijn beurt een interim model tussen de eerbiedwaardige Silver Ghost en de modernere Phantom II. 3 **1924 ROLLS-ROYCE SILVER GHOST LIMOUSINE** Hier nog een andere versie van de Silver Ghost. 4 **1929 ROLLS-ROYCE PHANTOM II** In 1928 kreeg de Phantom nieuwe aluminium cylinderkoppen. Zijn oorspronkelijke vermogen van 90 pk bedroeg in 1929 meer dan 100 pk. 5 **1925 ROLLS-ROYCE TWENTY** De Twenty was een van de populairste Rolls-Royces en zijn motor zou zich tot 1959 meerdere malen bewijzen. 6 **1925 ROLLS-ROYCE SPRINGFIELD SILVER GHOST STRATFORD CONVERTIBLE** Een aantal Silver Ghosts werd geproduceerd in Springfield, in de staat Massachusetts in de VS.

5

1 & 2 ROLLS-ROYCE PHANTOM III Deze Phantom III uit 1938 had een V-12 van 7341 cc en was voorzien van prachtig koetswerk, uitgevoerd door de firma Hooper. **(2)** De Sports Limousine uit 1939 had als kenmerken een onafhankelijke voorvering en een V-12 van 165 pk die van 0 tot 100 accelereerde in 16 seconden. **3 1926 ROLLS-ROYCE PHANTOM TOURER** Dit exemplaar heeft een Barker-carrosserie. **4 1949 ROLLS-ROYCE SILVER WRAITH LIMOUSINE** De Silver Wraith werd geïntroduceerd in 1946. Met uitzondering van limousines zoals deze Hooper, bedroeg de standaard wielbreedte 127 inch. **5 1930 ROLLS-ROYCE PHANTOM I** Deze Phantom heeft een carrosserie van de Amerikaanse firma Brewster & Co. **6 1934 ROLLS-ROYCE PHANTOM II** De Phantom II, die werd geproduceerd van 1929 tot 1935, wordt door velen beschouwd als de meest attractieve Rolls-Royce, ooit gebouwd.

1

2

3

4

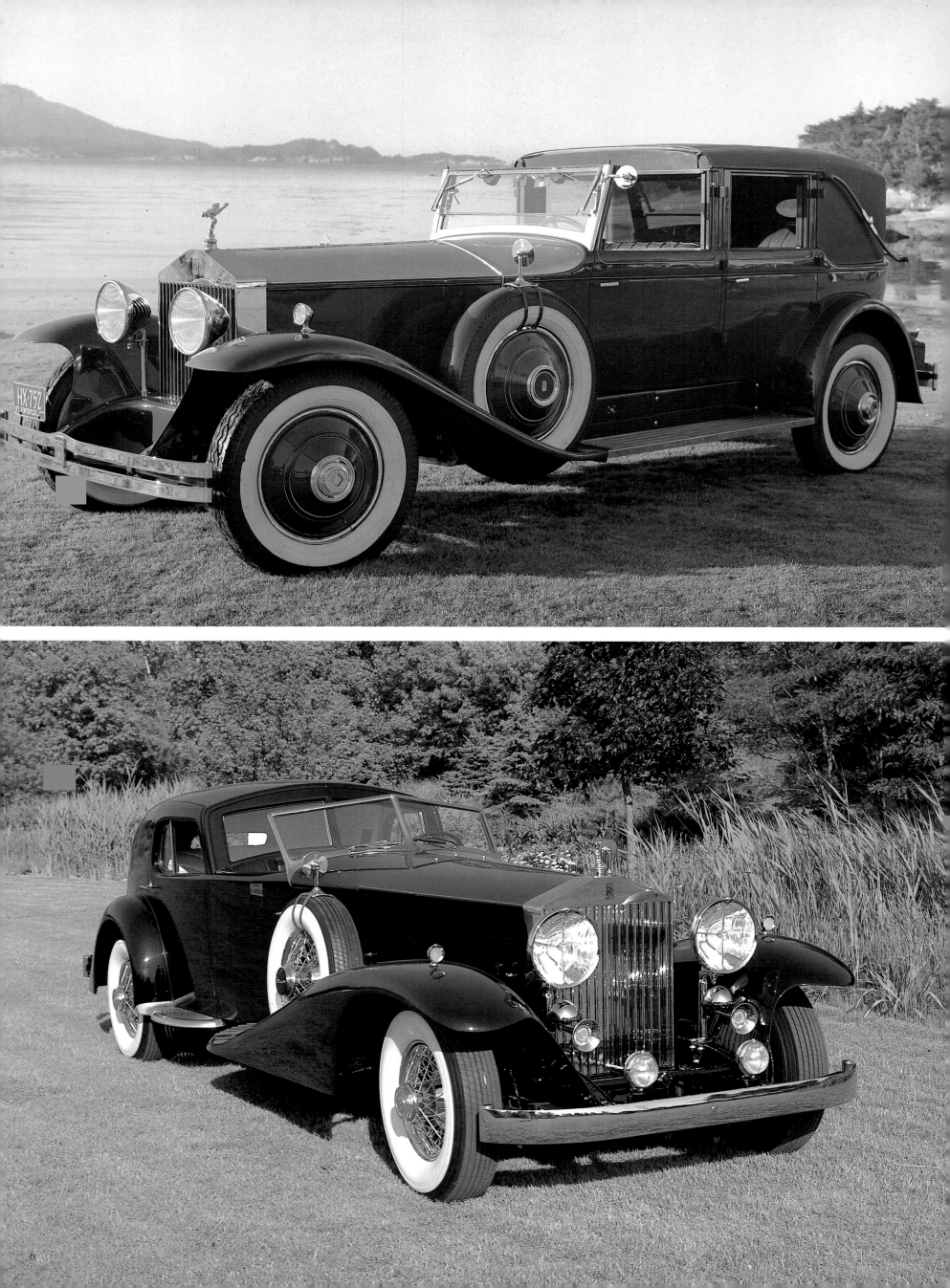

1, 3 & 5 ROLLS-ROYCE PHANTOM II De Phantom II, verkrijgbaar met een wielbasis van 144 of 150 inch, was favoriet bij veel carrosseriebouwers. Deze All Weather Tourer met smalle wielbasis (**1**) toont een carrosserie gebouwd door T.H Gill. De versie uit 1931 (**3**) toont een Brewster & Co-carrosserie, en de Coupé uit 1934 met neerklapbaar dak (**177-5**) heeft een carrosserie gebouwd door H.J. Mulliner. **2 1939 ROLLS-ROYCE WRAITH** Sommige Rolls-Royce enthousiasten uit die tijd vonden de Wraith inferieur aan zijn voorganger, de 25/30. Een commentaar beschreef de Wraith als een 'wat zwangere 25/50'. De Wraith bood echter wel een nieuw gelast chassis en een onafhankelijke voorwielophanging. **4 1932 ROLLS-ROYCE 20/25 TORPEDO** De 20/25 was voorzien van en 3669 cc motor van 70 pk waarmee de auto een topsnelheid haalde van 120 km per uur. De 20/25 werd de grondlegger voor de eerste naoorlogse modellen.

1

2

3

4

1 1978 ROLLS-ROYCE CAMARGUE In 1978 was de Camargue de duurste Rolls-Royce. **2 1961 ROLLS-ROYCE SILVER CLOUD II** De Silver Cloud kwam met een nieuwe V-8 van 6230 cc en had als eerste Rolls een automatische transmissie. **3 1959 ROLLS-ROYCE SILVER CLOUD** De Silver Cloud verscheen in 1955 en had dezelfde 4887 cc motor als de Bentley Continental uit 1954. **4 1963 ROLLS-ROYCE SILVER CLOUD III** De laatste ontwikkeling van de Silver Cloud verscheen in 1962. De compressieverhouding was groter waardoor het vermogen met ongeveer 8 procent werd opgevoerd. **5 1963 ROLLS-ROYCE PHANTOM V** Rond de tijd dat de V-8 werd geïntroduceerd in de Silver Cloud II-modellen, kondigde Rolls-Royce een nieuwe carrosserie aan, speciaal bestemd voor limousines: de Phantom V.

1 1976 ROLLS-ROYCE SILVER SHADOW MK 1 Na zijn introductie in 1965 werden er tot 1977 meer dan 2000 modificaties aangebracht. **2 1978 ROLLS-ROYCE CORNICHE CONVERTIBLE** In 1967 werd door Mulliner Park Ward een Silver Shadow Convertible gebouwd. In 1971 werd dit model omgedoopt tot de Corniche. **3 1985 ROLLS-ROYCE SILVER SPUR LIMOUSINE** Deze verlengde limousine, ontworpen door B. Jankel kwam tot stand door de Silver Spur Sedan met lange wielbasis met 42 inch te verlengen. **4 1963 ROLLS-ROYCE CAMARGUE** De carrosserie van de Camargue was ontworpen door Pininfarina en maakte zijn debuut in 1973. Nadat de 531ste wagen van de produktielijn was gerold, werd in 1986 met de produktie gestopt. **6 1974 ROLLS-ROYCE PHANTOM VI** De Phantom VI, geïntroduceerd in 1986 was, op detailveranderingen na, gelijk aan zijn voorganger, de V. Hij werd tot 1983 in kleine aantallen geproduceerd.

1987 ROLLS-ROYCE SILVER SPIRIT Dit is de huidige 'standaard' Rolls-Royce en, zoals hun vorige modellen, is hij verre van standaard, tenminste, vergeleken met de normen van anderen. Aangedreven door een V-8 van 6,7 liter en voorzien van afzonderlijke wielophanging, een interieur bekleed met het bekende geknoeste walnotehout en Connolly-leer, maken deze Rolls tot de droomwagen van toekomstige eerzuchtige keizers.

1

2

3

4

5

1 1931 SINGER In 1931 was de Singer Company in navolging van Morris en Austin de enige Engelse autofabrikant. Een uitgebreide reeks van modellen werd aangeboden, waaronder de Tourer en de Junior Tourer die met niet meer dan 10 pk door het leven gingen.

2 1933 SINGER LE MANS De Sports Nine, ontworpen door A.G. Booth, eindigde als dertiende op Le Mans in 1933. Singer noemde het model dan ook 'Le Mans'.

3 1914 STAR Dit 3016 cc, 4-cylinder model van 15,9 pk werd geïntroduceerd in 1912 en is het beroemdste model dat door de Star Engineering Company gebouwd werd. Een vroeg slachtoffer van de Depressie, want de produktie werd in 1932 opgeschort. **5 1909 SHEFFIELD-SIMPLEX TYPE AC 2** Dit model, ontworpen door Percy Richardson, bezat een 6-cylinder motor, tweedelig blok en 2-pedaalsbediening. Hij was ook in een versie 'zonder versnellingen' te krijgen (voor 'langzame' mensen, denk ik).

6-9 STUDEBAKER In 1854 begon Studebaker als autofabrikant. De produktie van auto's begon in 1904 en in het jaar 1930 had de fabriek zich weten te vestigen als een van Amerika's topfabrikanten. De President Convertible uit 1931 (**8**) werd aangedreven door een 8-cylinder lijnmotor. Toen de firma in 1933 onder curatele kwam, werden dit model en het Limousine model 45 (**6**) afgestoten in ruil voor kleinere 6-cylinder wagens. Het bedrijf hervatte de produktie onder een nieuwe leiding en in de vroege jaren '50 had het zijn plaats aan de top weer ingenomen. De Commander V-8 (**7**) uit 1954 was ontworpen onder supervisie van Raymond Loewy. De Sky Hawk uit 1956 met een 4244 cc V-8 van 200 pk kwam ook uit Loewy's ontwerpstudio's en was een van de meest effectieve ontwerpen uit die periode.

1 1931 SUNBEAM 16 SALOON De Sunbeams, bekend door hun soepele weggedrag en uitgekiende technische opbouw, behaalden veel overwinningen op het racecircuit, waaronder de eerste Franse Grand Prix overwinning in 1923. De 16, geïntroduceerd in 1927, had een gewone 2-liter 6-cylinder motor van 44 pk. **2, 3 & 6 TALBOT LAGO** Deze T-26 Grand Sport werd geïntroduceerd door Anthony Lago in 1947 (**2 & 3**) en was uitgerust met een 4,5 liter motor van 190 pk die deze auto met zijn prachtige Saouchik-carrosserie een snelheid gaf van 210 km per uur. De eerder uitgekomen T 150 SS Coupé uit 1939 (**3**) was voorzien van een Figoni- en Falaschi-carrosserie. **4 & 5 STUTZ** De Stutz, Model M322 kubieke inch met gewone 8-cylinder motor (**4**) was het laatste model dat geproduceerd werd voordat de nieuwe SV-16 en DV-32 op de markt verschenen. De DV-32 uit 1933 had een 32-kleppige motor met dubbele nokkenas en een vermogen van 156 pk, en werd geleverd met een fabrieksgarantie waarin stond dat elke D-32 met een snelheid van 160 km per uur was getest voordat hij de fabriek verliet.

1

2

3

4

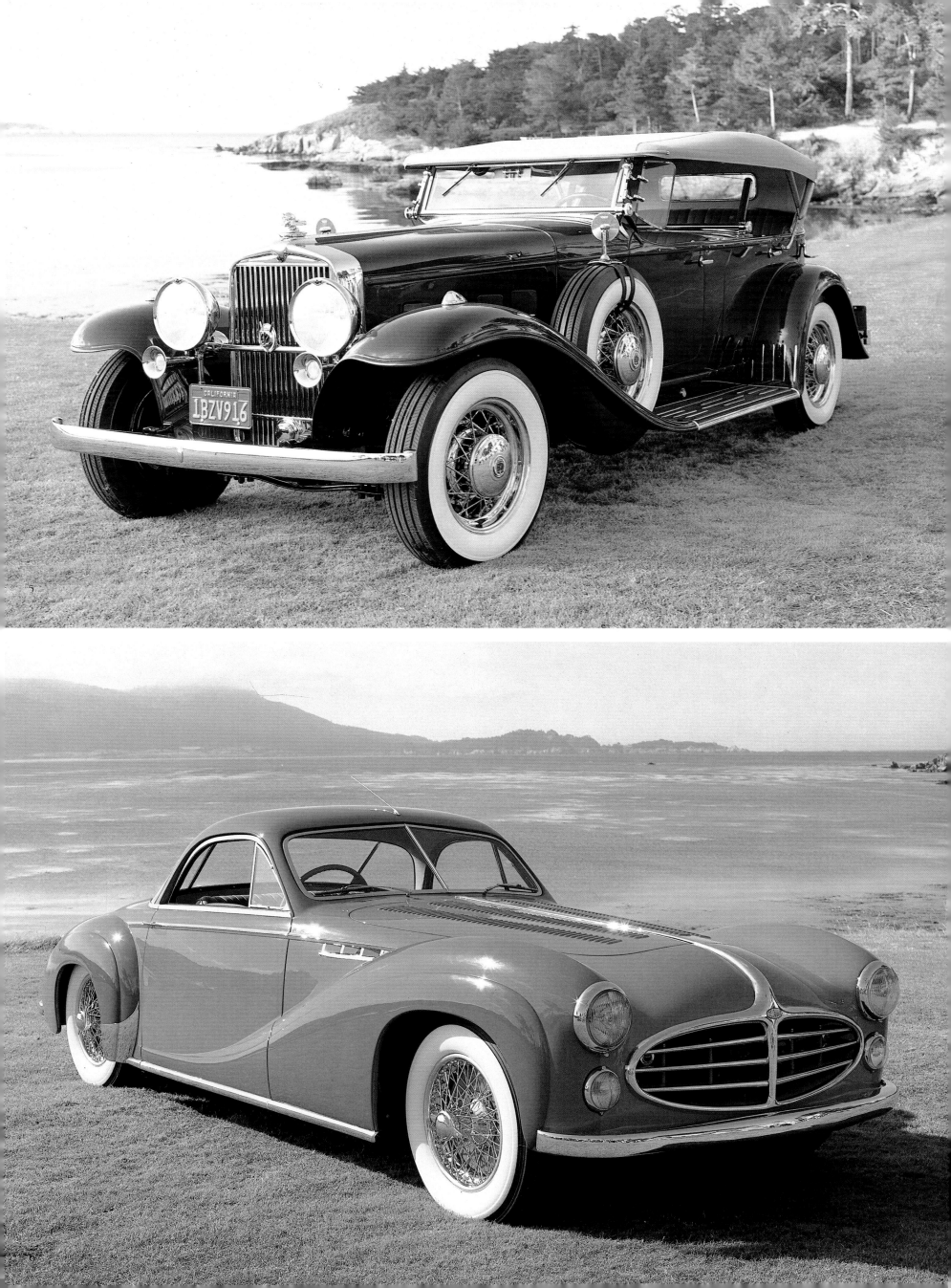

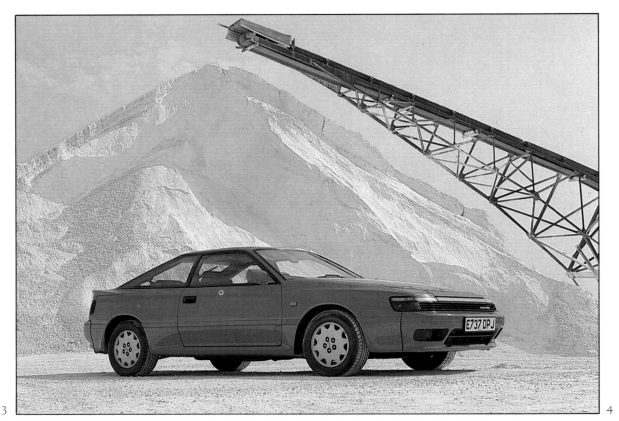

1, 2, 5 & 6 TRIUMPH De Dolomite, die maar niet durfde te presteren, was in de late jaren '30 het topmodel van Triumph (**1**). De Roadstar uit 1948 (**2**) was gebouwd rond een buizen chassis, had met de hand gevormde aluminium voorspatborden en presteerde niet veel. Pas bij de introductie van de TR serie kreeg Triumph een sportiever imago. Deze TR-4 (**6**) gebruikte zijn 2138 cc motor om zich te plaatsen voor het S.C.C.A National Class Championship van 1962 tot 1965. De TR-5 (**5**) was het eerste exemplaar dat gebruik maakte van de 2,5 liter 6-cylinder met brandstofinspuiting. **3 1988 TOYOTA CELICA 4WD TURBO** De officiële aanduiding was All-Trac Turbo en deze wagen heeft een 16-kleppen turbo-bekrachtigde motor van 2 liter, voorzien van twee nok-kenassen, die bij een toerental van 6000 goed is voor 190 pk. **4 1987 SUBARU FWD TURBO COUPE** Een andere 'ga en sta' auto. Deze is voorzien van een con-stante vierwielaandrijving die gekoppeld is aan een 4-cylinder, 1,8 liter turboboxermotor die 115 pk levert. **7 1948 TUCKER TORPEDO** Een van de echt originele wagens gebouwd door een van de werkelijk originele fabrikanten. Deze droomauto, goed voor 195 km per uur, werd aangedreven door een achterin geplaatste Franklin helicoptermotor met 6-horizontaal geplaatste cylinders.

1

2

3

4

5

1 1947 VOLKSWAGEN KEVER Kijk maar eens goed naar deze auto. Het is de meest succesvolle auto uit de geschiedenis. **2, 3, 4 & 6 VAUXHALL** Toen Vauxhall in 1925 werd overgenomen door General Motors, verschoof het accent van grote, dure wagens naar een accent op een grotere verkoop. De lichte 6-cylinderwagens uit de vroege jaren '30 waren hiervan het resultaat. De Saloon (**2**) uit 1933 had een 2-liter motor en een van de eerste gesynchroniseerde versnellingsbakken. (**4**) De 14/6 Stratford Sports Tourer is een ander voorbeeld uit deze serie. In 1939 waren een standaard constructie en hydraulische remmen een algemeen kenmerk bij modellen zoals deze 25 GL. (**3**) Dit model verscheen opnieuw in 1946 als de eerste naoorlogse Vauxhall. De Cresta uit 1957 (**6**) werd aangedreven door een 4-cylinder motor van 1,5 liter. **5, 9 & 10 WOLSELEY** De eerste auto die geproduceerd werd door de Wolseley Sheep Shearing Company (het Wolseley Schapenscheer Bedrijf) was een driewieler. In 1900 waren zij overgegaan tot het bouwen van vierwielers (zonder schapen). In de jaren hierna zouden hun auto's bekendheid krijgen als Wolseley-Siddeley's, Siddeley's, en ten slotte, gewoon als Wolseley's. In 1930 verscheen de Hornet van 1,3 liter met bovenliggende nokkenas (**5**). Vanwege zijn Swallow-carrosserie werd hij ook wel de Wolseley Swallow genoemd. De Wolseley Hornet Special uit 1933 werd

6

door Wolseley alleen als chassis verkocht (**10**). 1936 was het laatste jaar voor de motoren met bovenliggende nokkenas die de vroegere modellen hadden aangedreven. In 1937 verscheen er een nieuwe 1,8 liter motor met stoterstangen die de Super Six en de Wolseley 14/56 zou gaan voortstuwen (**9**). **7 1903 WINTON** In 1903 maakte een Winton, bestuurd door H. Nelson zijn eerste succesvolle rit dwars door de VS. **8 1904 WHITE STEAM CAR** Rollin White bouwde voor de Eerste Wereldoorlog samen met de Stanley-tweeling een serie succesvolle, door stoom aangedreven auto's. Dit model van 15 pk kon een snelheid van rond de 20 km per uur halen.

7

8

9

10

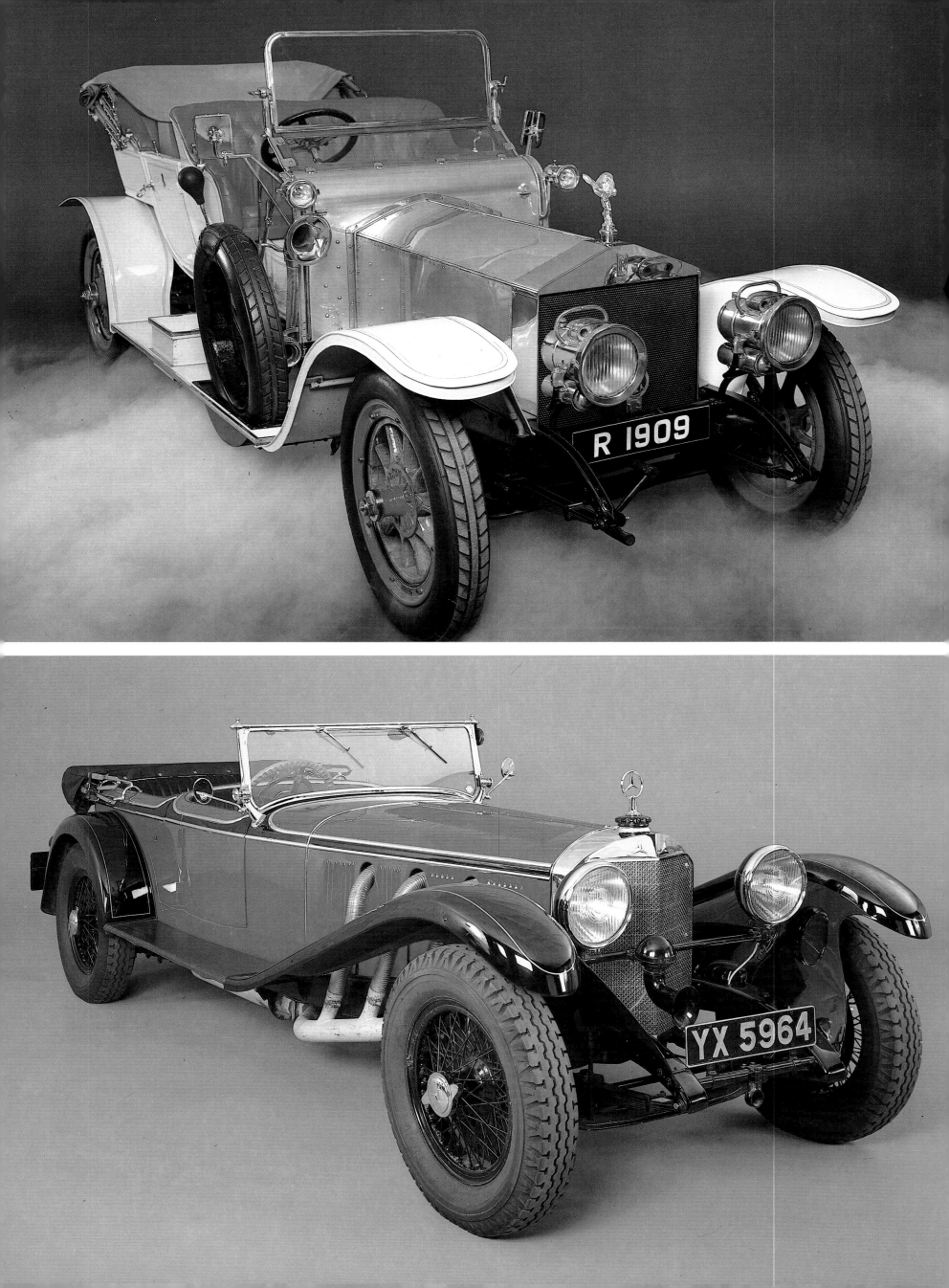